Maryse Condé

La Belle
Créole

Gallimard

La Belle Créole est un ouvrage de fiction.
Toute ressemblance avec des personnages vivants ou des événements survenus dans la réalité est pure coïncidence.

Maryse Condé, née en Guadeloupe, vit aujourd'hui aux Etats-Unis où elle enseigne la littérature. Elle a publié plus d'une douzaine de romans, dont *Moi, Tituba, sorcière...* et *Traversée de la Mangrove*.

Pour Amédée

« Voici le temps des assassins. »

A. RIMBAUD

L'après-midi

1

Le pays étouffait. Du Nord au Sud, il faisait chaud, une chaleur d'étuve, pire que celle du carême des vingt dernières années se plaignaient ceux qui avaient la force de garder mémoire. Les météorologues soutenaient que cette fournaise et les brouillards de sable qui l'accompagnaient voyageaient depuis les côtes de l'Afrique de l'Ouest, depuis la presqu'île du Cap-Vert, plus précisément, et étaient précurseurs d'autres abominations, pluies furieuses, vents, toutes qualités de cyclones force 4 qui s'abattraient sans relâche sur le pays aussitôt le mois de juillet. Vieux-corps et nourrissons déshydratés mouraient comme des mouches. Dans la région de Saint-Alban, la terre s'était fendue en mille morceaux et des colonnes d'insectes en étaient sorties, marchant serré, fuyant l'enfer des profondeurs. Les hautes fenêtres du palais de justice découpaient des rectangles bleus chargés d'électricité, parsemés de taches blanches, sur lesquelles se détachaient, vertes et roides, dessinées, aurait-on dit, par des mains d'enfant, des branches de palmier. À l'intérieur, les ventilateurs avaient beau battre des ailes tels des oiseaux éplorés, tout le monde était en nage : les gardes, les avocats, les juges, les témoins, l'accusé. Tout le cérémonial de la justice suait à grosses gouttes. Le jury, à l'étroit dans son box, s'épongeait. Les quatre femmes remuaient l'air aussi pesant qu'un drap mouillé avec de petits éventails de latanier. La plus grosse, éternellement vêtue d'un tailleur marine, dont les yeux mourants n'avaient pas lâché Dieudonné une minute pendant les quatre jours du procès, semblait respirer avec peine. La veille, on avait écouté la péroraison ; après un dernier feu d'artifice en français-français, Maître Matthias Serbulon s'était rassis. C'était un homme jeune, malheureusement déjà chauve sur le dessus du crâne, le restant de cheveux longs jusqu'aux épaules, noués en une queue-de-cheval peu orthodoxe, vêtu sous sa robe d'un complet Giorgio Armani. Malgré cette apparence, il était fils d'un austère dignitaire politique, fondateur du P.P.R.P., feu parti pour lendépendans. Dieudonné ne l'appréciait pas beaucoup. Depuis leur première rencontre, dans le parloir de la prison peint en jaune serin, il n'avait pas aimé la façon protectrice dont l'autre avait appuyé la main sur

14

son épaule, et pris son créole comme s'il n'était pas capable de comprendre le français. Il ne se reconnaissait pas dans l'image que l'avocat s'était évertué à donner de lui, pitoyable victime. Pas plus d'ailleurs dans celle que peignait l'avocat général : brute grossière et dangereuse. Maître Serbulon avait poussé la familiarité jusqu'à lui raconter comment, dans le temps, il avait accumulé bêtises sur bêtises. Dieudonné n'avait pas été dupe. Sans doute, quand il étudiait le droit, le jeune Matthias Serbulon avait pris quelques cuites, roulé quelques cigarettes de hasch et peloté une paire de nichons plus ou moins consentants. Rien de plus grave !

Pourtant, cet avocat qu'il jugeait assez antipathique sut trouver les mots pour convaincre. Le jury revint avec un verdict que, à la vérité, il n'avait pas osé espérer. Son ami Rodrigue venait d'écoper de vingt ans. Il pouvait tout craindre. Le pays en avait plus qu'assez de cette jeunesse qui ne savait que tuer, braquer, violer, incendier, cette jeunesse dont les rêves avaient la démesure des effets spéciaux des films. Pourtant, habile, s'il avait mis en accusation l'ensemble de la société, et, fils de son père, invoqué la sujétion coloniale et son cortège de maux, Maître Serbulon avait su pimenter ce brouet trop rabâché d'ingrédients qui l'avaient transformé entièrement. Conclusion : cet acquittement spectaculaire, tout juste assorti de plusieurs mois de travail pour la communauté. En quoi cela consistait-il exactement ? Allons ! Ce n'était pas le moment de poser la question. Personne n'en savait rien. Dieudonné se trouva pressé, étouffé contre la poitrine flasque d'Arbella, sa grand-mère, et tout surpris de sa propre émotion embrassa la joue ridée, molle comme papier buvard, que ses lèvres n'avaient pas effleurée depuis des années. Car il n'y avait guère d'amour entre eux deux. Rien de la Bonne-Maman gâteau, Arbella. Pourtant, ce jour-là, Dieudonné comprenait que la pauvre avait tenté ce qu'elle avait pu ; pas grand-chose ; pas sa faute. Sans rancune, il embrassa aussi Fanniéta, la grande sœur de sa mère, sa marraine selon la tradition, qui tant de fois avait fait la prédiction qu'il finirait à la geôle, son compagnon Magloire, seul membre de la famille qu'il aimait bien, les cousins, la cousine. Il aperçut la tresse blonde d'Ana mais, surprise des surprises ! elle ne s'approcha pas de lui. Pour la photo de *France-Caraïbe*, il voulut bien prendre la pose qui convenait au bras de son avocat. En descendant l'escalier du palais de justice, la brûlure de l'air sur ses joues, dans ses oreilles les cris de la foule contenue par les boucliers des C.R.S. le martyrisèrent. Des centaines de mains s'agitèrent comme des papillons ; des voix indistinctes crièrent leur satisfaction. Était-il sans qu'il le sache devenu un héros ? Dans sa stupeur, ses pieds manquèrent deux marches et il faillit s'affaler par terre. Une équipe de télévision de Martinique avait posté ses techniciens et disposé ses caméras, car les bureaux de la station locale étaient occupés par le personnel en colère depuis un bon mois. Cette fois, Dieudonné se plaça en retrait, s'effaça presque, offrant au journal du soir, l'image d'un jeune garçon timide et gauche, trop haut, trop costaud pour ses vêtements. À croire qu'il avait encore grandi et forci en prison. Que Serbulon se donne des airs, qu'il parade ! Cette victoire, c'était la sienne. C'était le triomphe de son intelligence. Lui, n'était somme toute qu'un figurant qui n'avait jamais rien de rien eu à dire. En même temps, naissait en lui un sentiment qui ressemblait au bonheur. Il était libre. Pourtant, aussitôt une autre pensée l'assiégeait. Libre ? Cela veut dire quoi ? Libre pour quoi faire ?

Pour le moment, la liberté, concrètement, c'étaient les relents de gas-oil, le soleil mal-fini planant au-dessus de sa tête, à un détour, la cathédrale Saint-Jean-de-Obispo massive et malgracieuse, la puanteur des détritus répandus en désordre tout le long des trottoirs, car les employés de la voirie, eux aussi, étaient en grève. Depuis des mois. Les gens de la ville qui n'avaient pas cherché refuge chez des parents bitakos à la campagne se relayaient pour nettoyer cette ordure et la brûler en gros tas de boucan, dans la mangrove qui s'étendait passé le pont de Lothaire. Il s'étonnait des changements. Pendant

17

les dix-huit mois qu'il avait été enfermé en attente de son jugement, les démolisseurs n'avaient pas perdu leur temps. Ils avaient jeté bas les bureaux de la poste du Raincil qui s'abritait dans une des rares vieilles demeures datant du début du siècle, et un immeuble d'appartements, résidences de luxe, ultramoderne, avec balcons et terrasses, avait pris sa place. Il était baptisé : « Jardin tropical ». Le pays agonisait, perdait de tous les côtés sa sève et sa vigueur. Mais l'exotisme tenait bon. Au coin de la rue Camille-Auguste, le supermarché Noblécourt, le « plus grand supermarché des Caraïbes » avait clamé la publicité quand il s'était ouvert quelque deux ans plus tôt avec défilé de majorettes à travers le quartier, s'était résigné à baisser définitivement ses rideaux de fer. Par deux fois, l'un de ses vigiles avait été blessé mortellement. Aujourd'hui, il avait perdu sa superbe. Ses murs étaient maculés, zébrés de toutes qualités de graffitis, les uns simplistes, voire grossiers : « Blan dèro », « Fwansé foukan », les autres, plus nobles témoignant de saines lectures : « La Révolution ou la Mort », « Nous serons libres ou martyrs ».

Au milieu du petit groupe des parents, les silhouettes de Magloire et Fanniéta s'éloignèrent en direction de la place des Écarts avant de la contourner prudemment. Signe des temps, des mauvais temps, sous les sabliers centenaires, jadis orgueil de l'endroit — et les touristes sortaient de loin pour les contempler —, plus de bébés endormis dans les bras de leurs das en madras et tabliers raide empesés, plus de landaus, impériaux comme les berlines du temps-longtemps, plus d'enfants de bourgeois parés comme des châsses et roulant sur leurs jambes cagneuses : des policiers. Des policiers, en patrouille, deux par deux, revolver sur le côté. La mer, aux gencives violettes, charroyait des odeurs de pourri. Autre signe des mauvais temps, l'office de tourisme, qui s'élevait en bordure de la place dans une magnifique résidence entre cour et jardin léguée à l'État par la famille de Boyleau-Peyrellac, avait été vandalisé à maintes reprises, ses bardeaux arrachés, son toit de tuile démantelé, ses fenêtres éventrées, ses statues décapitées, tant et si bien qu'il avait été définitivement fermé. Mais ce qui chagrinait surtout les gens, c'étaient les chiens. La place des Écarts était devenue leur lieu de rendez-vous. Un beau matin, ils étaient sortis en foule de tous les quartiers de Port-Mahault, de tous les faubourgs, et même des communes avoisinantes, troupe frénétique, efflanquée et galeuse, dénudant la hargne de ses crocs dans des rictus de menace. Certains galopaient à toute heure du jour, à travers les allées autrefois soigneusement ratissées, aux gracieux noms d'arbustes, allée des Lataniers, allée des Bauhinias, allée des Musendas. D'autres, plus casaniers, avaient élu domicile dans le

kiosque à musique où ils faisaient continuellement l'amour, les femelles poussant dans
l'accouplement des couinements révoltants.
Évidemment, cela n'allait pas sans déjections
puantes, dures et sèches comme celles des
biques, disséminées un peu partout dans le
gazon. Ou au contraire, bilieuses, répandues en
purée autour des gerberas et des multipliants.

Dieudonné et Arbella montèrent dans la
B.M.W. rutilante de Maître Serbulon. Celui-ci
s'arrêta à une des rares stations-service ouvertes
et le pompiste en uniforme rouge, un coquillage
en forme de fleur collé au mitan du dos, le
reconnut ainsi que son client. Il salua ce dernier
avec effusion comme il se doit d'un héros populaire, bandit d'honneur, chanteur de charme,
vedette de cinéma, et, une fois de plus, Dieudonné se demanda si cette ferveur s'adressait
bien à lui. Quelque part il y avait maldonne.

Après avoir élevé ses cinq enfants dans un taudis sur le canal, dans sa vieillesse, Arbella venait
d'être relogée sur le morne Julien. La municipalité avait disposé d'un demi-hectare de terres à
surettes et à tamarins des Indes, paradis des amateurs d'école buissonnière et des amoureux, pour
y édifier une cité : quatre tours rigides, pyramides
de cinq étages, entourées d'un mur épais comme
celui d'une prison. Assis dans une guérite où
tournait vainement un ventilateur, deux volontaires des milices populaires en treillis déteints

20

vérifiaient les pièces d'identité des visiteurs. Eux aussi reconnurent l'avocat, et son client. Ils se mirent debout avec respect pour saluer le premier en évitant toutefois de regarder le second. Sûr et certain! S'ils avaient été du jury et s'il n'avait tenu qu'à eux, de ce bon à rien, on aurait fait un exemple. C'est vieux-corps qu'il serait devenu vieux-corps à l'abri des barbelés de la geôle. Mais à l'heure qu'il était, on inventait des excuses à tous les crimes. On fabriquait des pardons pour tous les forfaits. Conséquence, du nord au sud du pays, ils croissaient et se multipliaient dru comme chiendent.

Au nom du Bon Dieu, quelle sale époque on vivait! Les uns après les autres, les services du pays s'arrêtaient de fonctionner, pareils aux organes d'un corps que la santé déserte. Cœur, foie, poumon, rate. La grève la plus spectaculaire avait été celle des infirmiers et des aides-soignants de l'hôpital. Elle avait pris fin quand les médecins, au désespoir, s'étaient couchés sur l'herbe roussie des pelouses, en refusant de boire une gorgée d'eau tant qu'au moins les urgences ne seraient pas assurées. C'est qu'on ne savait plus que faire des morts. Les tiroirs réfrigérés des morgues débordaient. Pour éviter la putréfaction, on recouvrait les cadavres avec des barres de glace. Celle des services municipaux avait été la plus impopulaire. À Port-Mahault comme dans la plupart des communes, depuis des mois,

21

la voirie ne fonctionnait pas, les ordures s'entassaient dans les rues, dans les dalots, sur les trottoirs, partout où elles le pouvaient. Il n'était possible d'obtenir ni certificat de naissance ni certificat de décès, ni fiche d'état civil. Les enfants naissaient de parents inconnus. Les morts ensevelissaient les morts. Aucun mariage ne pouvait être célébré, ce qui fait que les concubinages s'accumulaient et que les prêtres prévoyaient des milliers de béni-rété quand tout reviendrait à la normale.

Dans le salon d'Arbella, bouillant derrière ses persiennes baissées, Maître Serbulon s'assit face à la télévision Sony écran panoramique. C'était le cadeau du fils aîné, immigré dans les Côtes-d'Armor. Un autre fils gagnait sa croûte tant bien que mal à Marseille. La troisième fille, mariée à un Dominiquais qu'elle avait connu en Guadeloupe, habitait Toronto où elle avait dû se mettre à l'anglais. Voilà comment les famillles étaient à présent, démembrées, écartelées aux quatre coins de la planète ! Dans le cas d'Arbella, cette dispersion se traduisait dans le caractère disparate de l'ameublement. À cette télévision dernier cri, s'ajoutaient un divan à trois places en skaï noir offert par le second fils, un fauteuil de repos en velours grenat équipé d'un vibromasseur et un brasseur d'air offerts par la fille de Toronto, ainsi qu'un guéridon traditionnel en bois d'acajou, don de Fanniéta. L'avocat ôta sa veste, découvrant les plaques de sueur de sa chemise, dénoua sa cravate, puis s'empara de la main de la vieille qui s'était mise à pleurer. De soulagement? De gratitude? Des deux à la fois, gageons. Dans un méli-mélo de paroles rassurantes (une fois encore, il avait pris son créole), il lui jurait que, plus jamais, son cœur de grand-maman ne souffrirait ce qu'il avait souffert. Désormais, il serait le père, le grand frère, l'oncle qui avaient manqué à Dieudonné. S'il avait prêté attention à de tels propos, Dieudonné aurait pu s'inquiéter quant à l'avenir qu'on lui préparait. Mais il n'écoutait pas, sachant que c'étaient là paroles sans poids ni charge, paroles en bouche, aussi creuses que vents ou rêves. D'ici quelques jours, Maître Serbulon l'aurait oublié et tout redeviendrait à la normale. Chômage. Solitude. Ennui. Ennui. Solitude. Chômage.

Puisqu'elle n'était plus là pour transfigurer la vie.

La porte s'ouvrit sur des éclats de rire. Le groupe des parents s'amenait autour de Magloire et Fanniéta qui brandissaient une bouteille de champagne. Magloire en fit sauter le bouchon avec d'autant plus de bruit et de panache que le liquide était tiède. Quatre heures d'électricité par jour, par secteur tournant. On ne pouvait rien rafraîchir, ou simplement conserver plus d'une journée. Tout tournait. Le lait des nourrissons, le yaourt nature des troisièmes âges. Quand le champagne fut bu, Fanniéta recouvrit la table de la nappe brodée des grands jours tandis que, sur un fourneau malgache — il n'y avait plus de butagaz sauf, trop cher pour les petites bourses, au marché noir —, Arbella mettait à réchauffer l'inévitable colombo. Bientôt, jaune safrané, onctueux, hérissé de dés de bélangères et de bélenbés, il clapota dans la soupière à côté d'un plat de riz blanc, piqueté d'un piment rouge. Il était de toutes les fêtes, le colombo ! Anniversaires, baptêmes, mariages. À la Noël seulement, il faisait relâche, remplacé par la daube de cochon et les pois d'Angole. Généralement dans le pays, les conversations des repas tournaient inlassablement autour des mêmes problèmes : les grèves, les pénuries, les braquages, les meurtres, les viols. On se lamentait. On se faisait peur. Grâce à la présence de Maître Serbulon, ces ornières furent évitées. L'avocat plaisanta, régala son assistance d'anecdotes tirées de ses procès, attendrit ou fit rire tout le monde aux éclats.

Pendant ce temps, Dieudonné réprimait une nausée. Il avait toujours détesté jusqu'à l'odeur du colombo. Tandis que les convives s'esclaffaient, brusquement, il se sentit très las. Pour lui, de quoi demain serait-il fait ? Où allait-il dormir cette nuit ? Où allait-il rester les jours suivants ? Est-ce qu'il devrait recommencer à vivre chez Arbella ? Il aurait bien aimé donner dos à tout ce monde, prendre un avion et partir pour la

Jamaïque. À la geôle, la famille Ramah Jah, enfermée pour avoir suivi le conseil biblique et fait pousser la ganja en lieu de canne à sucre, lui avait vanté les splendeurs de Negril. Le sable était blanc comme coton. Les rasta-men baisaient impunément des Américaines blondes qui leur faisaient des enfants métis qu'elles nourrissaient du lait de leur sein. Oui, mais à la Jamaïque, on parle l'anglais, langue dont son trimestre au collège Jules-Verne l'avait complètement dégoûté. Car, l'avocat général mentait comme un arracheur de dents, il n'avait rien d'un illettré. Il avait même réussi son certificat d'études. Jusqu'à cette année fatidique, l'année 1989, sa scolarité avait roulé sans heurts ni histoires. Pas premier de la classe, pas dernier non plus. Malgré ces crises qui le prenaient et le transformaient en zombi. Les voisines suspectaient le mal kadik, et poussaient Marine, sa maman, à consulter l'hôpital. Quand elle s'y était décidée après la ronde des visites aux kimbwazè, un docteur métro avait expliqué qu'il s'agissait d'une maladie génétique. Maladie génétique ? En clair, cela veut dire maladie qu'on est incapable de guérir. Quand même, par pure forme, il avait prescrit des comprimés qui coûtaient les yeux de la tête. Mais on sentait bien qu'il ne croyait pas à ce qu'il faisait.

Pour les gens des Amériques, l'année 1989 est celle du cyclone Hugo. Le Terrible a semé la désolation jusqu'aux U.S.A. où il a fait pleurer les Carolines du Nord et du Sud. Il a enseveli la Martinique sous des linceuls de boue et pratiquement rayé la Guadeloupe de la carte. Pour Dieudonné, Hugo avait été un des souvenirs les plus marquants de son enfance. Il avait un peu plus de dix ans. Sa maison du morne Lafleur n'étant pas plus solide qu'une pile de caca-bœuf, Marine s'était réfugiée chez Fanniéta, qui était alors la gardienne d'une tour d'appartements en dur. Fanniéta offrait aussi son robuste toit à Élie, son concubin de l'époque, à sa trâlée d'enfants, à Arbella et deux de ses amies. Tandis que les vieilles femmes roulaient les grains de chapelet bénits à Lourdes, chantaient des cantiques, pleuraient à chaque coup de gueule du tonnerre, à chaque hululement du vent, Élie, Marine et Fanniéta revivaient les déboires causés par la succession de cyclones qui, année après année, avaient visité le pays, Betsy, Flora, David, Marlène. Ils s'accordaient pour dire que la méchanceté d'Hugo les dépassait tous. Pendant ce temps, les jeunes, une dizaine en tout, s'étaient réunis dans la salle de bains. Les trois garçons d'Élie avaient arraché les hardes d'Hélène, l'aînée de Fanniéta, et lui étaient passés dessus, l'un après l'autre, sous les yeux rigolards de ses petits frères. Quand ce fut au tour de Dieudonné, il n'avait pas osé avouer qu'il ne connaissait pas la femme et, envahi par la terreur, il avait tenté d'imiter les autres. À ce moment-là, Hélène, docile, souriante au début, en avait son compte et ne se laissait plus faire. Elle poussait des gémissements, griffait, gigotait, se tordait de mille manières, exhibant son ventre rondouillard, ses cuisses graciles, et son pubis ensanglanté sous l'herbe rare des poils. Alors, Dieudonné avait foncé tête baissée, pareil à un taureau de corrida dans l'arène. Pourtant cela avait tourné court, il n'avait pu y parvenir et avait fondu en larmes tandis que, autour de lui, les assistants le conspuaient avec mépris :

— Makoumè! Makoumè!

Neuf mois plus tard, Hélène avait accouché d'une petite fille. Rouée de coups par sa mère, assourdie de supplications par sa grand-mère, couverte de mépris par les voisins, elle n'avait pas ouvert la bouche, se bornant comme par défi à baptiser la nouvelle-née Huguette.

Cette nuit-là, les jeunes avaient quand même vécu des amusements plus sains. Revenus près des aînés dans la salle de séjour, ils avaient découpé des lucarnes dans la feuille de contre-plaqué qui protégeait la baie vitrée et, à la lueur des éclairs, ils avaient regardé tournoyer comme des toupies les feuilles de tôle couvrant le toit des immeubles, les troncs d'arbres, les voitures à l'arrêt dans les parkings et jusqu'aux catamarans de la marina. Vers minuit, une vague plus haute que la montagne Chauve avait déferlé, noyant le quartier de ses eaux enragées, montant à l'assaut des fenêtres. Brusquement, au matin, vers les sept heures, tout s'était calmé. Le ciel lavé s'était remis à luire et le soleil à briller entre les dernières fines-fines gouttes de pluie.

Quelques jours après cette nuit mémorable de septembre, la catastrophe qui devait changer la vie de Dieudonné s'était produite. Marine, toujours active, était montée sur son toit reclouer elle-même la tôle arrachée. Soudain, avait-elle eu un vertige ? Son pied avait-il glissé sur la feuille humide ? On ne saura jamais exactement ce qui s'est passé. Toujours est-il qu'elle s'était écrasée comme un fruit à pain trop mûr aux pieds de Dieudonné terrorisé. Les voisins s'étaient précipités, attroupés, curieux, apitoyés ; l'ambulance était arrivée en quatrième vitesse ; on avait transporté l'accidentée à l'hôpital. Après sa chute, elle avait traîné cinq ans, paralysée des pieds à la tête, recroquevillée dans un fauteuil, vivant par les yeux qui mangeaient sa figure amaigrie. Puis, elle avait fini par mourir et Dieudonné qui n'avait jamais connu son papa s'était trouvé seul dans l'existence.

On peut dire que Marine n'avait pas eu une bonne vie. C'était pourtant une jolie négresse, peau de sapotille comme on dit, trente-deux dents de perle. Il lui manquait seulement la chance. La bonne chance. Un temps, elle avait tenu un lolo qui n'avait pas supporté la concur-

rence des supérettes et autres grandes surfaces.
Ensuite, elle avait voulu vendre sur le marché :
elle n'avait ni le bagout ni l'embonpoint qu'il faut
pour se mesurer aux matrones. Alors, elle s'était
louée comme si elle n'avait pas obtenu son brevet
d'études au collège Sadi-Carnot, et elle avait fait
la cuisine pour les étrangers, lavé leur linge sale,
récuré leur plancher. Des hommes, elle ne voulait plus entendre parler. Ils avaient usé son cœur
et son corps. Certains avaient mangé son peu
d'argent. Tous l'avaient blessée de toutes sortes
de coups tant et si bien qu'elle élevait le garçon
qu'elle avait récolté de l'un d'entre eux, seule,
sans l'aide de personne. La famille chuchotait
que, si elle l'avait voulu, elle aurait coulé ses jours
dans l'opulence sans souffrance, car le père de
Dieudonné n'était pas un rien du tout. Loin de
là, fort au contraire. Mais Marine n'écoutait pas
les conseils et n'en faisait qu'à sa tête. Une
année, elle avait trouvé de l'emploi chez les
Cohen, le mari, pilote sur Air-Alizés, la femme,
professeur au collège Saint-Esprit, trois enfants.
Cela avait été le bel été de sa vie. Les Cohen qui
venaient des Pyrénées-Orientales, ne se compor-
taient pas tout simplement en bons patrons. Ils
supportaient sa susceptibilité, ses sautes d'humeur, ses coups de gueule — à croire qu'ils
avaient peur d'elle ! — et, surtout, ils adoraient
son garçon. À preuve, ce dernier les appelait
papa et maman. Ils l'emmenaient régulièrement

à la consultation, et lui achetaient ses médicaments. Avec lui, ils partaient en croisière et, des palmes aux talons, lui apprenaient à caracoler dans le ventre de la mer. Ces montagnards s'étaient pris de passion pour l'océan. Ils avaient à force d'économies acheté un grand voilier (10,50 m) où l'espace était parfaitement organisé. Ils l'avaient baptisé *La Belle Créole* et ils naviguaient jusqu'à Antigua, Saint-Martin, Saint-Barth, les Grenadines. Des jours et des nuits, ils dérivaient sur leur coquille de noix entre le bleu du ciel et l'écume des vagues! À leurs oreilles, soufflait la respiration enragée du vent! Leurs yeux s'emplissaient de la démesure du large. Hélas! le bonheur des uns fait le malheur des autres, dit le dicton populaire bien connu. Après les salaires de misère d'Air-Alizés, Vincent Cohen s'était vu offrir un poste de pilote à Swissair, compagnie internationale, autrement prestigieuse qu'une flottille de coucous locale. Rassemblant sa femme, ses enfants, il avait dit adieu au pays et avait vendu tout ce qu'il possédait. Seul le monocoque, résidu des rêves d'un temps, était resté à quai à la marina. En ce temps de crise, personne ne voulait l'acheter. Chose qui ne peut pas s'expliquer, une fois hors du pays, les Cohen ne donnèrent plus signe de vie à Dieudonné. Ils ne lui adressèrent plus ni carte à Noël ni carte au Nouvel An. Preuve que ce deuxième dicton populaire dit aussi vrai: loin des yeux, loin du cœur. En conséquence, songeant à ces années de sa vie, le garçon se demandait parfois s'il ne les avait pas rêvées.

À cause de la maladie, puis de la mort de sa mère, les crises de Dieudonné se multiplièrent. Des fois, il se réveillait, assourdi, une clameur de train en marche sous son crâne. D'autres fois, il était tellement faible qu'il restait vautré sur son lit, incapable d'ouvrir les yeux, recroquevillé comme un fœtus. Sans pitié, on l'avait rayé de l'école à cause de ses absences. Cherchant comment se soulager, il s'était alors aperçu que le crack adoucissait ses souffrances. (Sur ce point, tout bien disposé qu'il était à son endroit, Maître Serbulon ne l'avait pas cru : il n'était pas un vicieux drogué, mais un malade.) Il avait découvert les pouvoirs de la poudre magique. Il lui suffisait de s'en emplir les narines et d'inhaler, inhaler pour que la terre retrouve sa rondeur, sa couleur, sa saveur, ses odeurs. C'est Rodrigue qui l'avait introduit au crack. Les policiers avaient surnommé Rodrigue « l'Ennemi Public Numéro 1 ». Maître Serbulon ne l'appelait jamais que « l'Ange du Mal ». Imaginez un chabin, la peau très claire, les cheveux d'or, découpant une frise dentelée au-dessus d'un front bombé, les yeux pareils à deux trous d'eau de mer. Rodrigue et Dieudonné habitaient deux cases voisines sur le morne Lafleur. Leurs mères qui se connaissaient depuis l'école avaient accouché le même jour, la même année, dans le même hôpital. Aux anniversaires, ni l'une ni l'autre n'était capable d'offrir à son rejeton un gâteau avec de la crème sur le dessus et ne pouvait inviter d'amis à souffler les bougies au milieu d'un chœur de *Happy Birthday to you*. C'est tout juste si elles leur plantaient un baiser sur le front avant de courir à leur peu reluisant ouvrage. Aussi, un 14 avril, Rodrigue était entré à l'hypermarché et était ressorti au nez et à la barbe des vigiles avec une tarte aux pommes, huit parts, des paris-brest et des bouteilles de cidre. Pour faire bonne mesure, il avait également emporté deux saucisses sèches de Toulouse et du pain de mie en tranches qu'il adorait. Cela avait été son premier vol. Jusque-là, il avait chapardé comme tout le monde des pointes bic, des gommes et des compas à l'école. Après ce succès, rien n'avait pu l'arrêter. Il s'était mis à voler de plus en plus gros : des frigidaires, des téléviseurs, des machines à laver, des chaînes hi-fi, des voitures, une fois un camion. En plus, il était devenu dealer. Le crack, il allait l'acheter à des Colombiens à l'île Bonne-Marie et il le revendait aux adolescents friands à la porte des écoles. Avec cela, toujours entouré de filles, attirées comme des mouches à miel par sa peau blanche. Bon danseur, chanteur de rap à ses heures. Mais voilà, la chance avait tourné. Une ou deux semaines avant Dieudonné, il était entré à la geôle pour un crime que le jury ne lui avait pas pardonné et lui avait fait payer très cher.

La mort de Marine avait eu une grave conséquence. Dieudonné avait dû quitter le morne Lafleur où il était né, où il avait grandi, où il avait souffert à côté de sa maman. En un mot, il avait dû abandonner ses pénates et tous ses souvenirs. Car, à quinze ans, comment se nourrir tout seul ? Laver son linge ? S'acheter des souliers ? La vie est cousue de ces mille nécessités prosaïques. Il avait d'abord habité chez sa marraine Fanniéta. Mais, à la suite des plaintes d'Hélène, elle l'avait vite mis dehors. Ensuite, Arbella qui avait tout de même l'esprit de famille, s'était dévouée. Elle avait acheté un canapé-lit qu'elle avait placé dans un coin de sa case et, ma foi, Dieudonné n'y dormait pas si mal. Mais la vieille ronchonnait si, à son retour de la messe d'Aurore, elle le trouvait à ronfler, récriminait pour un oui pour un non. Parce qu'il n'allait plus à l'école, parce que ce scélérat de Rodrigue le visitait trop fréquemment, parce qu'il mangeait comme un alouvi grand falle, qu'il volait les billets de cent francs qu'elle serrait dans sa commode. Après quelques mois de ce calvaire, l'idée lui était venue de partager la chambre de Rodrigue. Mais celui-ci restait à l'étroit avec sa mère, trois petites sœurs, deux petits frères. C'est alors qu'il avait eu une illumination. *La Belle Créole* ! *La Belle Créole* était là à balancer en bout de quai ses chambres, sa cuisine, son carré avec une pancarte « À vendre » attachée au cou. De plus en plus délabrée. De plus en plus abandonnée, l'agence qui s'en occupait ayant pris ses cliques et ses claques et étant retournée en métropole.

La marina de la Mégisserie était située au fond de la baie de Saint-Christophe à quelques pas de la capitale, Port-Mahault. Une marina, c'est le rêche plancher des vaches changé en onde. Sur ce front liquide, moiré et mouvant, se bousculent les grands voiliers, monocoques ou multicoques, impatients de foutre leur camp vers le large et le catamaran qui vient de Sri Lanka charroie le rêve sur ses bouts de bois amarrés. La baie de Saint-Christophe dessinait un arc parfait, comme qui dirait tracé au compas. Sur la droite, le voyageur pouvait admirer l'étagement mauve de la Haute-Terre et le cratère toujours obscurci de fumerolles de la montagne Chauve. Sur la gauche, le dessin irrégulier des résidences de Sainte-Marie et de Marbelle, blanches et basses entre la touffeur des pié-bwa. Droit devant, c'était le fier océan qui ne connaît pas de limites. Autrefois, la marina de la Mégisserie était une ville flottante, un Hong Kong encombré de jonques. Puis, les navigateurs avaient déserté le pays. Peu à peu, les vagues de la mer avaient retrouvé leur empire de paix. Dieudonné manqua pleurer en revoyant *La Belle Créole*. La fierté de ses propriétaires, la prunelle de leurs yeux faisait à présent peine à voir avec sa coque rouillée, sa peinture écaillée par plaques lépreuses, son gréement en piteux état. Les rats, les ravets, les araignées, les fourmis faisaient bombance dans tous les coins. Des guêpes maçonnes avaient maçonné au beau mitan du carré. Les douches ne fonctionnaient plus dans la salle d'eau. Les W.-C. étaient bouchés. Dieudonné passa des heures à brosser, récurer, savonner, rincer à grands seaux d'eau de mer. À la fin de l'après-midi, il s'installa dans la chambre arrière, celle-là même qu'il partageait dans le temps avec David et Benjamin Cohen. Et c'était comme si le présent avait rejoint le passé. Comme si Marine n'était pas sous la terre. Comme s'il était redevenu gamin, ma foi, pas plus malheureux qu'un autre. Il disposa ses trésors : une photo de Marine, déguisée en jablesse un jour de carnaval. Lui-même, bébé en barboteuse, dodu, mignon dans les bras d'Arbella. David, Benjamin et Rébecca Cohen tout nus, bruns, frisés comme des petits Arabes. Un poster de Manhattan, les gros yeux carrés des gratteciel écarquillés dans la nuit. Puis, il se coucha. Malheureusement, au début de la soirée, Rodrigue débarqua flanqué d'une paire de beautés à bon marché, en robes des sousoun klairant, juchées sur des semelles compensées. Il critiqua l'endroit, le qualifia de porcherie, ce qui ne l'empêcha pas de s'enfermer dans la chambre avant avec ses conquêtes et à tour de rôle ou en même temps de les faire glousser de plaisir. Vers minuit, Dieudonné ne put plus le supporter et sauta sur le quai. Lui-même ne faisait pas l'amour et n'en souffrait pas trop. Tout l'effort de la séduction le dépassait. Il ne savait pas tourner le compliment, blaguer, danser. En sa compagnie, les filles, d'abord attirées par son physique, s'ennuyaient et, déçues, le laissaient en plan.

À cette époque-là, malgré la multiplication des vols, Port-Mahault n'était pas vraiment dangereux. On ne connaissait pas le couvre-feu. Pas de patrouilles de policiers en armes, de vigiles postés devant chaque bar, devant chaque restaurant. On pouvait déambuler tant qu'on voulait dans le quartier de la Mégisserie, lorgner les touristes gobant les plateaux de fruits de mer. Pas à dire : ces gens-là se payaient du bon temps. Bientôt, l'esprit obscurci par les ti-punches, le ventre alourdi par les langoustes, ils allaient zouker maladroitement. Pourtant, personne ne les raillerait : ils étaient des dieux à qui tout était permis. Dans le lot, Dieudonné avait quand même pitié des femmes seules : fébriles, s'esclaffant pour un oui pour un non, parlant trop haut. Des fois, il les suivait jusqu'à la porte des dancings et se plantait en faction à attendre. Certaines ressortaient au bras de bellâtres en chemises cintrées, les fesses et la queue moulées dans leurs jeans Levi's. Les autres ne récoltaient rien. Alors, il marchait der-

rière elles sans tenter de les aborder même si elles
se retournaient et lui lançaient des coups d'œil
d'invite.

2

C'est ce premier soir-là qu'il fit la connaissance de Boris.

Il s'était mis à pleuvoir. Une de ces averses qui
vous tombent dessus sans avertir, détrempent
tout sur leur passage, du brin d'herbe au pié-
bwa, et puis disparaissent comme elles sont
venues. Il avait couru chercher refuge dans un
abribus abandonné. Un S.D.F. y semblait dormir, enroulé dans des morceaux de plastique
bleu ciel. Au bruit qu'il faisait à s'ébrouer et à
jurer, celui-ci avait sorti une tête furieuse, puis,
radouci sans doute par ce qu'il avait devant lui,
l'avait salué dans un français-français fleuri et
s'était présenté :

— Boris Gamel. Homme de lettres. Poète en
créole et en français. Car j'écris dans les deux
langues. Oui, je sais qu'il est de bon ton de n'uti-
liser que le créole. Mais moi, je considère que
créole, français sont les deux versants, versant
Sud et versant Nord, de ma personnalité. Alors
pourquoi est-ce que je me mutilerais en écrivant
exclusivement en créole ? Je suis l'auteur de *Dé
mo*, *kat'pawol*, *Confluence*... pour ne citer que mes

meilleurs ouvrages. Édités par mes soins à l'imprimerie Bon Vent, un nom prédestiné.

S'il ne pleuvait pas autant, tout ce bagout aurait fait fuir Dieudonné. Il n'aimait pas à parler. Il n'aimait surtout pas ceux qui parlent, remplissent leur bouche avec des sons, des mots. C'est dans le silence que, des années durant, il avait pris soin de sa mère. On lui avait percé un trou dans la gorge par où sortait un filet de voix sourd, caillouteux. Elle ne s'en servait jamais, commandant son garçon par regards et par signes, le remerciant de la même façon.

Encore l'année d'avant, Boris était un bougre sans histoires : un tacot japonais au parking, un trois-pièces pas trop mal meublé à la cité Fleurie. Il n'avait que la particularité d'être poète. À la librairie où il s'occupait du rayon des livres scolaires, il poursuivait les mères de famille pressées, les écoliers, les lycéens en leur fourrant dans la main ses compositions. À la moindre occasion, il les déclamait. Le samedi, il se produisait au Cercle des Poètes. Puis sa femme qu'il adorait l'avait quitté. On ne connaît pas exactement les raisons de cet abandon. (D'ailleurs sait-on jamais pourquoi les gens se séparent?) Le couple semblait uni. On assure, sans preuve aucune, qu'elle se lassa d'un mari qui plaçait toute son ambition dans la littérature et gaspillait l'argent du ménage à payer des imprimeurs. Heureusement, Boris et sa compagne, Ixaura, n'avaient ni fille ni garçon. Cela fait des enfants du divorce en moins. À cause de ce drame, le cœur brisé, Boris avait donné sa démission à la librairie dont, pourtant, il était le fleuron et il était tombé dans le rhum. Sa dégringolade avait été rapide. En moins d'un an, il s'était disputé avec sa famille, fâché avec ses amis qui lui reprochaient sa brusque ivrognerie et il avait atterri sur le quai de la Mégisserie. Chose curieuse, une fois arrivé là, il ne toucha plus une goutte d'alcool. Mais l'alcool était en lui et ne le lâchait pas. Il paraissait toujours saoul. Il fonçait sur les automobilistes arrêtés à la station Texaco, ouverte 24 heures sur 24 à côté de l'abribus, pour leur mettre de force sa camelote dans les mains. Les gens avaient peur de cet homme qui n'aurait pas fait de mal à une mouche.

Boris avait-il du talent ? Ce genre de questions ne doit pas se poser, car elle n'a pas de réponse. Pour les uns, il était un barde national méconnu, le seul vrai chantre de la culture populaire. Pour d'autres, un mauvais rimailleur, un raseur de première. Ce qui est certain, c'est qu'à dater de cette rencontre, Dieudonné, qui jusque-là n'avait d'autre ami que Rodrigue, en gagna un deuxième. C'était grand contraste. Rodrigue ne parlait que braquages, hold-up, vols à main armée. Son modèle était un certain Fernando Diaz qui avait mis sur les genoux la police de Santo Domingo avant de s'enfuir à Montréal, puis à New York où il courait encore. Boris était un idéaliste, un temps militant, toujours nationaliste forcené. Souvent à la fin de l'après-midi, des badauds s'assemblaient autour de son abribus et Boris, ravi, prenait pour leur parler des tons de maître d'école. Alors, il récitait ses poèmes. Ou bien, il débordait d'aphorismes qui réjouissaient fort l'assistance :

— L'intellectuel de ce pays est pareil à un animal de zoo, né, grandi en captivité. Habitué à manger dans la main des autres, il ne peut rien par lui-même.

Ou encore :

— Le pays est comme un oiseau sans ailes. Incapable de s'envoler; encore moins de planer. Il nous traîne tous dans sa boue.

Ou bien, il discourait sur les auteurs qu'il admirait et exprimait sa passion pour deux génies, l'un Anglais, l'autre Chilien, Shakespeare et Neruda. Du premier, il affectionnait tout particulièrement *Othello or the Moor of Venice*, la tragédie d'un homme qui avait eu le courage de tuer celle qui le trompait. Il répétait avec un accent peut-être discutable, mais l'émotion y était :

It is the very error of the moon,
She comes more near the earth than she was wont
And makes men mad.

40

De l'autre, il privilégiait le *Canto General* et déclamait — avec un accent tout aussi discutable :

> *El jaguar tocaba las hojas*
> *con su ausencia fosforescente,*
> *el puma corre en el ramaje*
> *como el fuego devorador.*

En règle générale, il se désolait de l'indifférence de Dieudonné qui ouvrait rarement la bouche et n'avait pas plus la tête à la poésie qu'aux braquages.

À quoi l'avait-il, celui-là ? Mystère et boule de gomme !

Comme trait de son caractère, on ne pouvait guère retenir que son attachement à la mer.

Chaque jour que Dieu fait, il arrivait au Goulet et nageait deux fois jusqu'à l'îlet à cette heure de silence avant la première messe, où le bourg dormait encore, où aucun pied de baigneur n'imprimait sa trace de Vendredi dans le blanc du sable. Les pêcheurs lève-tôt qui mettaient leurs canots à flot le voyaient se signer d'un geste pieux, avaler trois fois trois gorgées d'eau comme le veut la coutume avant d'entamer ses brasses. Ils admiraient surtout qu'il nage aussi longtemps au fond de la mer. Des fois, anxieux, ils s'imaginaient qu'il ne reviendrait plus à la surface. Et puis, il réapparaissait à l'endroit où on ne l'attendait pas, virgule noire sur l'écume blanche des vagues. Ensuite, il mettait pied sur la plage ourlant l'îlet, soufflait quelques minutes avant d'entamer le trajet de retour, puis, de repartir encore. Le tout durait une heure. La petite chabine qui tenait boutique au coin de la rue du Général-de-Gaulle, sous le charme, le regardait se restaurer creusé par tant d'efforts. Elle le trouvait tellement beau. Elle était d'avis que son corps pouvait se comparer à celui d'Arnold Schwarzenegger, en plus noir, bien sûr. Ce qu'elle appréciait, c'était qu'il n'en tirait aucune vanité et ne roulait pas des mécaniques ainsi que tous les bellâtres du coin. Quand il lui passait commande de deux sandwiches à la morue et d'un double café au lait, sa voix était mesurée, un murmure. Il la remerciait toujours avec profusion. Ce qu'elle n'avoue pas, c'est qu'à son grand désespoir, il ne répondit jamais à ses avances. Sourires assassins, koudzyé, balancements de hanches, rien n'y fit.

C'était à croire qu'il n'avait pas deux yeux pour voir.

Si on avait interrogé Dieudonné et s'il était parvenu à s'expliquer, il aurait répondu qu'il avait d'abord perdu les Cohen, ses parents adoptifs, puis sa maman, Marine. Seule la mer ne l'avait pas abandonné. Dès qu'il avait besoin d'elle, il la trouvait toujours à la même place ; bouillante en carême ; fraîche en saison d'hiver-

42

nage; toujours prête à s'enrouler autour de son corps et à le saluer du baiser humide de sa bouche.

On peut aussi noter — et cela surprend chez ce garçon que tout le monde s'accorde à trouver en apparence si doux, si réservé — un amour pour les kokdjèm. Un temps, il en avait possédé une vingtaine. Du temps qu'il vivait avec Marine, on pouvait croire qu'il les élevait pour entretenir son invalide de mère, car un kokdjèm qui gagne au combat rapporte beaucoup d'argent. Pourtant, on voyait bien que ce n'était pas la seule nécessité : il y mettait de la passion. Il leur parlait comme à des personnes vivantes. Une fois par semaine, il frictionnait leur plumage avec du tafia mêlé à de la cannelle et de la muscade. Ensuite, il les enduisait de citron. Une fois par semaine, il leur donnait à manger du jaune d'œuf, mélangé à du maïs et de la banane jaune, et y ajoutait des grains de poivre de Guinée afin de leur chauffer le sang. Il n'était content qu'au moment où ses kokdjèm étaient tellement méchants qu'ils se jetaient sur ses mains quand il les nourrissait et qu'ils essayaient de les déchirer à grands coups de bec. Chaque dimanche, il en choisissait deux parmi les plus féroces, leur taillait les plumes de la queue pour qu'ils ne ramassent pas de sable, et aussi le bout des ailes. Puis, il prenait l'autobus pour le pit de Marylebone. Marylebone, c'est le pit le plus réputé du pays, celui où les paris atteignaient des sommes colossales. Les kokdjèm de Dieudonné n'avaient pas besoin d'éperons en acier pour gagner tous les combats. L'un d'entre eux, que l'on avait baptisé Lucifer, à cause de sa couleur rouge sang, remporta quatorze victoires d'affilée. À cause de cela, il eut droit à une demi-page dans *France-Caraïbe*. Ce fut la première fois qu'on parla de Dieudonné dans ce journal. Une photo illustre même l'article : on y voit un adolescent très haut pour son âge, le visage indécis. Sera-t-il ange ou bête ? Le Bon Dieu seul le sait. Dans la famille et dans l'entourage de Dieudonné, on n'appréciait pas cet élevage de kokdjèm. Quand Fanniéta le recueillit chez elle, la première chose qu'elle lui demanda, c'est de se débarrasser de ces créatures sataniques, de ces bêtes d'enfer. Il obéit, les vendit, en tira beaucoup d'argent, mais Rodrigue se rappelle qu'il pleura à chaudes larmes. Au procès, Maître Serbulon se garda bien de mentionner ces moments où son client au milieu d'un vacarme de vociférations et d'insultes se livrait à ce jeu sanguinaire.

On aurait pu s'imaginer que cela cachait un fond vicieux, une nature violente.

3

Une fois le colombo avalé, après un temps de digestion raisonnable, Maître Serbulon remit son veston Giorgio Armani sur sa chemise de plus en plus trempée de sueur et demanda plaisamment « la route ». C'était sa façon de prendre son congé. Il embrassa quatre fois Arbella et Fanniéta, serra chaleureusement toutes les mains, se planta devant Dieudonné, faussement fraternel et autoritaire à la fois, et ordonna :

— Je veux te voir demain matin sept heures dans mon bureau.

Que ferait-il de Dieudonné, que lui dirait-il quand il le verrait, il n'en savait rien. Personne ne pouvait dire en quoi consistait le travail communautaire. Sans donc attendre de réponse, il dévala l'escalier. Sa B.M.W. l'attendait posément à l'ombre d'un manguier. Au moment de s'asseoir derrière le volant, un brouillard passa devant ses yeux. Une terrible lassitude le cassa en deux comme un vieux-corps et il s'appuya sur le cuir des coussins pour reprendre son souffle. Fini ! C'était fini et il avait gagné ! Il avait l'impression de n'avoir ni avalé un verre de whisky ni mangé un court-bouillon de vivanot ni baisé une de ses maîtresses pendant des temps et des temps. De n'avoir pas admiré le lever ou le coucher du soleil derrière la Dominique depuis sa splendide terrasse, de n'avoir pas craint l'orage en regardant le ciel noircir pendant que, à son insu, les jours s'ajoutaient aux jours pour former des semaines, les semaines s'ajoutaient aux semaines pour former des mois. En vérité, il avait été requis d'office et s'était chargé de cette affaire sans beaucoup d'entrain avant de comprendre ce qu'elle pouvait signifier pour sa carrière. Pourtant dès qu'il avait vu Dieudonné, il s'était pris d'affection pour lui et s'était juré de le sauver. Sa jeunesse. Sa fragilité. L'impression qu'il donnait d'être tellement vulnérable. Très vite, il s'était aperçu que ce n'était pas un client facile. Après des mois de rencontres, il ne connaissait pratiquement pas le son de sa voix. Les premiers temps, il le suppliait ou le secouait selon les instants :

— Parle-moi ! Parle-moi ! Bon Dieu ! Comment veux-tu que j'y arrive si tu es là la bouche fermée comme celle d'un coffre ?

Puis il s'était résigné à ses silences, comprenant que ce n'était pas entêtement, mauvaise volonté, impertinence. Dieudonné essayait. Pourtant, il ne savait pas présenter des faits, les expliquer, relier une cause à son effet. Alors, il s'était mis à l'œuvre tout seul, construisant le réel à partir de son imaginaire comme un romancier, édifiant ou rejetant patiemment diverses versions du drame. Quand enfin l'une d'entre elles l'avait contenté, il avait morigéné le muet :

— Écoute ! Écoute bien ! C'est comme ça que ça s'est passé, tu m'entends !

Il s'en souviendrait toujours de ce moment-là. Ils étaient face à face dans un parloir qui empestait l'odeur de pin d'un désinfectant, mêlé à la

Javel, lui perché sur une chaise de fer peu confortable, Dieudonné assis sur un tabouret qui ne l'était pas davantage. Consultant ses notes, il avait parlé pendant plus d'une heure, choisissant des mots simples, des mots précis, qui convenaient à une histoire somme toute banale, indigne sous d'autres cieux de faire la une des journaux. Car enfin, tout pouvait se résumer en quelques phrases : fatigué d'être humilié, un amant finit avec sa maîtresse. Ce qui l'auréolait de symbolisme, c'est que l'affaire se passait dans ce pays frais émoulu de l'esclavage (enfin pas si frais, cent cinquante ans déjà !), que la maîtresse était blanche, békée de surcroît, l'amant noir. La maîtresse riche, le noir sans le sou, son jardinier. Quand il s'était tu, Dieudonné qui l'avait écouté sans un geste, la figure fermée comme à l'habitude, avait perdu son impassibilité. Il l'avait fixé de ses yeux kako, trop clairs pour sa peau. Puis il s'était tourné vers la cloison, la poitrine brusquement secouée de hoquets, de sanglots. Serbulon avait décidé de prendre cette première manifestation d'émotion pour la confession qu'il n'espérait plus.

À présent que tout était consommé, Dieudonné acquitté et le Bon Dieu lui-même descendu du Ciel ne pourrait pas revenir sur la chose jugée, faire que cela n'ait pas été, il était torturé par l'intime conviction qu'il s'était trompé sur toute la ligne. Qu'est-ce qu'il avait mal compris, mal déchiffré? Quelle pièce du puzzle avait-il placée tête en bas?

Il quitta Port-Mahault et fila à tombeau ouvert, sur la route à cette heure peu chargée de voitures. Il aimait la vitesse. Non pas parce qu'elle lui donnait comme au vulgaire un sentiment de puissance. Au contraire. Parce qu'elle lui remettait en mémoire sa fragilité. À cent trente kilomètres à l'heure, il était à la merci d'un enfant imprudent, d'un chien errant, d'une vache en liberté, traversant sous le nez du capot comme elles aiment à le faire, d'un pneu crevé, d'un conducteur enragé décidé à prouver à tout prix sa virilité. À cause de cela, en bout de course, il s'extirpait toujours de son bolide avec des sueurs de soulagement. Un barrage était dressé à la hauteur du cimetière de Sainte-Marie, face aux tombes, pareilles sous le soleil à des oiseaux pique-bœufs dispersés dans la broussaille. Autrefois, Sainte-Marie était un joyau touristique : nageurs, planchistes, chiens à tiques, dériveurs se disputaient son sable. Aujourd'hui, le soleil versait son huile sur une mer déserte, chauffée à blanc et cela crépitait en boucan d'étincelles. Une file d'automobilistes excédés piétinait pendant que les policiers contrôlaient minutieusement les identités. Reconnaissant l'avocat, eux aussi, ils se mirent par jeu au garde-à-vous avant d'applaudir. Maître Serbulon s'efforça de sourire.

Comme tous ceux de la nouvelle bourgeoisie, Matthias Serbulon avait suivi la mode et s'était retiré aussi loin qu'il le pouvait de Port-Mahault. Il avait bâti sa maison à Châteaubon, sur un morceau de terre qui avait appartenu à ses grands-parents. Pierreux, couvert de razyé, il ne semblait bon à ces cultivateurs qu'à y faire courir leurs cabris. Vingt ans plus tard, les promoteurs immobiliers, passant le pays au peigne fin, avaient découvert que Châteaubon avait vue imprenable sur l'archipel de San Diego et derrière lui, quand le temps était beau, sur la Dominique. En un rien de temps, des fortunes s'étaient édifiées. La rocaille s'était peuplée de villas de paradis tandis que, à force d'eau, les jardiniers haïtiens faisaient éclore des roses et des azalées. Pianotant sur sa télécommande, Matthias ouvrit à distance le portail percé dans le mur épais, hérissé de fils barbelés. Malgré ces précautions, Châteaubon était régulièrement visité ; lui-même avait été cambriolé six fois. Au bruit de la voiture, Joséphine, sa dernière maîtresse, une jolie panthère aux griffes vernissées en noir, qui du temps qu'elle vivait à Paris avait été un mannequin, se précipita, fière et volubile. Les appels des amis l'avaient mise au courant du triomphe de son homme. Elle roucoula, fière comme Artaban, songeant aux copines qui devaient l'envier :

— Le téléphone n'arrête pas de sonner. Ton papa... La Martinique. Paris aussi...

D'un geste sec, il la fit taire. Depuis des mois, Joséphine avait toléré sa brusquerie qu'elle mettait au compte de la concentration sur une affaire délicate. Elle espérait qu'en ce jour de gloire il serait détendu et aurait l'humeur à rire. Apparemment, il n'en était rien. Ah! les hommes! Matthias s'assit sur la galerie qui faisait l'entour de la villa, indifférent au panorama qui arrachait des cris d'admiration à tous ses visiteurs. Aujourd'hui, cette mer en fusion l'aveuglait malgré ses lunettes aux verres fumés. D'ailleurs, cette vue imprenable commençait de le lasser. Que ne s'était-il fait bâtir une rustique maison traditionnelle tournée vers la montagne? Il se versa un whisky pour laver le goût du champagne tiède d'Arbella. Maintenant, même chez les plus modestes, le champagne avait pris la place du rhum et personne ne vous servait plus un bon punch à la quenette ou à la surelle. Cet art-là se mourait comme le reste.

Il le sentait, il s'était trompé sur toute la ligne. Comment était-ce possible? Il avait été méthodique et n'avait rien laissé au hasard. Dans cette affaire, malheureusement, on comptait peu de témoins. Pas de famille, ni de proches en pleurs. Pas même de voisins émus. Une poignée de blancs-pays compassés, gênés par toute cette publicité, s'étaient assemblés à la cathédrale Saint-Jean-de-Obispo avant de suivre le cercueil jusqu'au cimetière. Il avait interrogé la servante dont les dépositions n'avaient fait que donner du poids à ses conclusions. Visiblement, elle n'éprouvait guère de sympathie pour Dieudonné. À l'en croire, son cœur se fendait d'être le témoin de son humiliation. Elle attendait, elle souhaitait un sursaut de révolte. Pourtant sans mentir consciemment, sa vision des faits n'était-elle pas influencée par l'histoire singulière du pays, les rapports entre les groupes ethniques ? Quels indices avait-il négligés ? Il y avait bien ces deux balles que l'expert en balistique avait découvertes, l'une logée dans la cloison, l'autre dans le bois du lit, et qui pouvaient signifier qu'il y avait eu bataille. Mais à sa question, Dieudonné avait frénétiquement secoué la tête. Il y avait bien cet amant peintre venu passer les vacances de Noël et de Joud'lan avec Loraine. Mais il était retourné à New York avant le drame, et Matthias n'avait pas vu l'utilité de le faire comparaître. Il songeait à présent que c'était une erreur. L'autre aurait pu apporter un nouvel éclairage. Dans les premiers temps, Matthias était plutôt fier de son argumentation qu'il jugeait césairienne, voire fanonienne. La maîtresse békée cruelle. L'esclave sans défense. La maîtresse humilie, manie le fouet. Un jour, l'esclave se libère. En tuant. Baptême du sang. À présent, cc mélodrame qui avait si bien emporté l'adhésion d'un jury crédule, lui semblait sans imagination. Ses acteurs s'étaient bornés à reprendre les vieux rôles du répertoire, à endosser les costumes archi-usés par la tradition. Il s'était trompé : un drame moderne, entièrement moderne se cachait derrière ce paravent aux motifs éculés.

Rodrigue, sous les rires goguenards des malnèg de l'assistance, n'avait pas caché à la barre que son ami n'avait pas goût aux femmes. Elles lui faisaient des avances puisqu'il était tellement bien de sa personne, un vrai athlète malgré son jeune âge, droit, haut comme un pié-bwa, taillé en force, mais il s'occupait pas. Avait-il peur ? avait insisté Serbulon. Peur, non ! Simplement, la bagatelle ne semblait pas le tracasser, comme elle tracasse les hommes à tout âge. Quand même, ce garçon qu'on décrivait unanimement timide, unanimement gauche avait osé lever les yeux sur une békée richarde et avait pu se creuser une place dans son lit. À supposer qu'elle ait fait les premiers pas, tout de même, elle ne l'avait pas forcé. On ne force pas une érection. Qu'est-ce qui les maintenait l'un avec l'autre ? Elle ne faisait pas que l'humilier et l'asservir. À des moments, il lui écartait les jambes et lui administrait la preuve souveraine qu'il était le maître et elle, rien qu'une femelle.

À ce moment, Joséphine fit irruption sur la galerie, accompagnée de Pierre, le père de Matthias, cachant mal le malaise où cette compagnie le mettait. Pierre avait bravé la chaleur et par-

couru deux heures de route dans sa Citroën anté-
diluvienne depuis l'Anse-au-Sel. Un panier de
mangots Amélie à la main, il ne pouvait plus
attendre pour féliciter son fils, ce qu'il avait de
plus cher au monde. Dans sa jeunesse, ce
membre-fondateur du P.P.R.P. avait été un
extrémiste. Il professait le plus grand mépris
pour la voie des urnes, répétant après d'autres :
« élections piège à cons ». On avait beau lui répéter que le pays n'est pas Cuba, et la bonne vieille
montagne Chauve la sierra Maestra, il ne rêvait
que guerre de guérilla. Pour cette raison, dix ans
plus tôt au cours d'une révolution de palais, il
avait été écarté des instances dirigeantes du parti
qu'il avait créé. C'était un ancien médecin, marié
à une des premières assistantes sociales du pays,
morte en couches à la naissance de Matthias.
Pendant leur mariage, les opinions politiques du
couple avaient fortement entravé leur réussite
matérielle. Établis dans la pauvreté et la pierraille
du Nord, ils n'avaient pas ménagé leur peine,
mais ils ouvraient trop souvent leur bourse pour
secourir leurs clients, paysans besogneux et couverts de dettes. Après la mort de sa femme, Pierre
avait continué son apostolat, pareil à ceux qu'il
soignait, à peine plus clair, à peine mieux
chaussé, à peine moins débraillé. Tout l'offus-
quait chez son fils : le luxe dont il s'entourait, les
femmes qu'il fréquentait et dont il changeait
continuellement, lui qui avait vécu dans l'adora-

tion de la mémoire d'une morte. Il n'appréciait pas sa profession. Pour lui, les avocats étaient des êtres sans foi ni loi qui employaient leur talent à défendre des assassins. Même des criminels de guerre nazis. Même des génocidaires du Ruanda. Cependant, aujourd'hui, la réussite de Matthias le comblait. Il lui semblait que pour une fois, dans la lutte séculaire entre oppresseur et opprimé qui n'a pas fini de se jouer à travers le monde, son fils avait fait rendre justice au plus faible, et triompher son bon droit. Du coup, il voulait se convaincre que Matthias, qui, à son désespoir, s'y était toujours refusé, accepterait enfin une carrière politique. Aujourd'hui plus que jamais, ce qui manquait au pays, c'était un leader. Le rôle que le père n'avait pas su s'attribuer, le fils le jouerait à sa place. Matthias lui rendit mollement son baiser. En un moment pareil, son attitude découragée, son air morose étaient stupéfiants. Mais telle était la nature du garçon. Petit, le jour où il venait de rafler tous les premiers prix — et il croulait sous le poids des livres à dorures —, il se désolait pour des bagatelles. Quand il était monté sur le podium, pleurnichait-il, sa chemise n'était pas bien repassée. Et puis, ces bouquins à tranches dorées, Victor Hugo, George Sand, Guy de Maupassant n'étaient pas ceux dont il avait envie. Il préférait les B.D. ou les romans de science-fiction. *Dune*, par exemple, qu'il avait déjà lu six fois. Pierre, déçu, pria Joséphine de lui servir un sec. Whisky, gin, champagne ! Par principe, il se refusait à avaler ces boissons de blancs et n'appréciait que le rhum agricole. Quand Joséphine lui eut apporté une bouteille de Feneteau, il se versa une rasade à assommer un bœuf, laissa le liquide lui arracher la bouche et la gorge, puis, les yeux humides, se tourna vers son fils, s'exclamant :

— C'est ta maman qui doit être contente là-haut !

Depuis trente-cinq ans qu'elle était sous la terre, il la prenait quand même à témoin de tout ce qui lui arrivait. Matthias ne répondit pas. Il avait toujours mal, quant à lui, en pensant à cette maman qui avait choisi de quitter le monde au moment précis où il y faisait son entrée et qui souriait, éternellement juvénile comme si de rien n'était, à chaque page d'albums de photos. Il avait aussi aimé Dieudonné parce qu'ils étaient tous les deux orphelins, affligés de cette blessure qui ne cicatrise pas, ne laisse jamais en répit. Dans le fond, Matthias adorait Pierre, le plus généreux et affectionné des pères. Pourtant, il n'avait jamais voulu être son pareil, arriver à la fin de sa vie sans un sou ou presque, agrippé à une collectivité et un étroit morceau de terre qu'il bêchait et rebêchait comme un forçat. À cause de lui, il avait grandi dans le pire inconfort, habillé comme un manant, marchant à pied sous le soleil parce qu'il refusait de se payer une automobile. À cause de lui, jusqu'à son départ pour ses études, il ne s'était jamais rendu ni en France ni en Angleterre ni dans aucun de ces pays capitalistes qu'il dénonçait, retrouvant année après année en short kaki et chapeau bakoua le même camp de jeunes à Santiago de Cuba. À présent, il ne rêvait que de voyager, découvrir le monde, l'Afrique, l'Asie, l'Amérique, l'Océanie. S'il n'avait tenu qu'à lui, il aurait planté son cabinet à l'autre bout de la terre. Un de ses promotionnaires de la faculté de droit de Montpellier travaillait pour la Cour Internationale de Justice et se rendait régulièrement à Arusha. Lui, il était là à plaider les divorces, à négocier les gardes d'enfants, à défendre les voisins à tête coléreuse qui s'étaient entre-tués à la machette et, pour la bonne bouche, les concubins violeurs de leurs innocentes petites belles-filles. Chanceux, c'était la seconde fois qu'il se signalait à l'attention du pays. Quelques mois auparavant, il avait défendu et fait acquitter une mère assassine qui avait arrosé d'essence ses jumelles trisomiques avant de les faire flamber. Cependant, il avait appris à garder pour lui ses insatisfactions, ses doutes et ses questions, Pierre le voulant un homme de certitudes et de pensées droites. Il lui demanda seulement :

— Donne ton avis ! Qu'est-ce que nous allons en faire à présent ? Le tribunal a la bouche pleine de ces mots « service communautaire ». Crois-moi, personne ne sait ce que c'est. Un de mes acquittés a eu de la chance : il met en sac des ananas-bouteille pour le compte d'une petite coopérative de planteurs à Salins. Un autre coupe et pèse des régimes de banane.

Pierre avait son idée là-dessus.

— Il faut qu'il apprenne à quel camp il appartient, il ne semble pas le savoir. Nous sommes les descendants des esclaves, des Africains. Pas question de faire l'amour avec la fille de ceux qui nous fouettaient dans les champs de canne et nous humiliaient.

— Mais encore ? fit moqueusement Matthias.

Pierre, insensible à l'ironie, continua :

— Ensuite, il faut qu'il apprenne un métier.

Il faut ! Il faut ! Matthias interrogea, toujours sardonique, mais l'autre ne s'en apercevait pas :

— Lequel ? Il y a trente-cinq pour cent de chômeurs dans ce pays.

Pierrre eut une moue.

— Qu'il tente le tourisme ! C'est le seul domaine qui offre des possibilités ! Remarque, de mon temps, j'ai beaucoup écrit contre le tourisme. (Dix ans plus tôt, il avait en effet commis un pamphlet édité à compte d'auteur : « Nous ne serons plus les lupanars de l'Occident. ») Aujourd'hui, il faut admettre que rien d'autre ne s'offre à nos jeunes !

Soudain, sa voix était empreinte de tristesse, car c'était un formidable aveu d'échec ! Cela signifiait qu'il fallait se résigner à appartenir à un peuple de larbins. Matthias allait lui faire remarquer que, depuis quelques années, les touristes avaient déserté le pays. Puis il s'en voulut de lui gâcher sa joie de l'instant. Exceptionnellement, son père tellement critique du tour de sa vie était épanoui. Il se tourna vers Joséphine et commanda d'un ton qui s'efforçait d'être enthousiaste :

— Va chercher du champagne ! On va fêter !

Joséphine obéit et s'éloigna avec un balancement de hanches mi ta-w, mi tan mwen, dont la sensualité fit baisser les yeux à Pierre.

— Fais une exception, pria Matthias. Bois une coupe avec moi. Pour l'occasion !

Pierre acquiesça d'un signe de tête, tout en maugréant qu'il avait tort de risquer des mélanges. En effet, il comptait bien rentrer pour la nuit à l'Anse-au-Sel.

— Allons donc ! dit Pierre. Tu dormiras ici.

Quand Joséphine revint, le père et le fils se tenaient la main d'un air apaisé. Le soleil déclinant rougissait leurs peaux et ils semblaient fardés pour une mystérieuse cérémonie.

Le pays se divisait en deux camps. Les bienheureux qui possédaient des groupes électrogènes et les malchanceux qui n'en possédaient pas. Bien évidemment, Matthias faisait partie du premier : la bouteille de Veuve Clicquot que Joséphine apporta était frappée à souhait !

Le serein

4

Le temps avait fraîchi, car le soleil détrôné commençait de descendre vers ses abîmes. Dans la lumière déjà ternie, Dieudonné considéra le tissu raccommodé des toits étalés sous les fenêtres. Sous ces tôles, dans cet entassement de maisons, pas un ami qui se souciât de lui; une femme qui l'espérât, le désirât. Rodrigue était hors-jeu; il en avait pour des années à la prison de Basse-Pointe. Où était Boris? Il était venu le visiter au début de sa préventive. Toujours moulin à paroles solennelles et grandiloquentes :

— Je vous l'avais bien dit à Rodrigue et toi que vous descendiez vers l'enfer par des chemins différents! Eh bien! Vous voilà tous les deux au fin fond de la fosse!

Avec cela, gêné, mal à l'aise dans la compagnie de tous ces mauvais garçons. Il interrogeait fiévreusement Dieudonné :

— Qu'est-ce qu'il a fait celui-ci ? Et celui-là ?

Après quelques visites embarrassées, il avait disparu. À quelque temps de là, des détenus avaient découpé sa photo dans une page de *France-Caraïbe* qui avait servi à envelopper un colis et les histoires les plus extravagantes avaient commencé à circuler. Les prisons ressemblent comme deux gouttes d'eau aux hôpitaux psychiatriques : chacun y farde la réalité à son goût et Dieudonné n'avait rien voulu entendre.

Il faillit crier dans sa solitude et se tourna vers Arbella :

— Bonne-Maman, je sors.

Où allait-il ? Autour de lui, tout le monde dressait l'oreille. Il eut pitié de l'affolement de sa pauvre grand-mère et murmura pour l'apaiser :

— Je vais juste faire un tour, Bonne-Maman. Je n'en ai pas pour longtemps.

Il s'engagea dans la spirale étroite et poussiéreuse de l'escalier. En le voyant, des enfants qui jouaient se rangèrent en marmonnant des salutations. Par contre, deux commères qui bavardaient sur le palier s'engouffrèrent chez elles. Les miliciens en faction à l'entrée le fixèrent, méfiants. Où allait-il ? Quel nouveau coup préparait-il ? Dieudonné soupira. Désormais, il faudrait vivre sa vie, objet d'admiration pour les uns, objet de haine et de terreur pour les autres. Il n'avait pas de vérité, il n'était rien, qu'un bwa-

bwa de carnaval, habillé d'oripeaux, travesti des fantasmes de ses compatriotes. Les mains dans les poches, il descendit le morne Julien, emplissant ses poumons de la douceur du serein qui s'amorçait. En même temps, curieusement, la prison lui manquait et le filet protecteur qu'elle avait tissé autour de lui.

Deux ans plus tôt, Basse-Pointe avait remplacé la vieille geôle située en plein mitan de Port-Mahault. À la suite d'une mutinerie sanglante qui s'était soldée par la mort de trois gardiens et de quatre détenus, le gouvernement avait été bien forcé d'ordonner une enquête sur ce qui se passait dans ce pays si lointain qu'il n'en savait pas grand-chose. Elle lui avait révélé qu'avec celle de Cayenne en Guyane, la geôle de Port-Mahault était une honte, un véritable enfer. Aussi, il avait fait bâtir ce centre pénitentiaire, le plus moderne, le plus vaste des Caraïbes. Pas plus de quatre personnes par cellule, équipée de télévision en couleurs et de chaîne hi-fi, ce qui fait qu'on pouvait s'endormir aux accents de Kassav ou de Kali selon le choix. Chaque cellule possédait sa salle de bains individuelle : lavabo et douche. On y mangeait copieusement trois fois par jour et pas seulement des racines ou des poyos. Dans les ateliers, on apprenait la plomberie, la menuiserie, la vannerie. On rabotait du bois et les planchers étaient recouverts d'un doux tapis de sciure. Ou

bien, on maniait des ordinateurs, dons d'asso-
ciations caritatives, et on s'initiait à la pratique
du courrier électronique. Dieudonné n'avait
rien appris de tout cela. N'importe! À l'abri de
ces murs de béton armé et de ses grilles électri-
fiées, il avait retrouvé la camaraderie de ses
années d'école. On se battait, on rêvait à plusieurs. Personne ne jugeait personne. Quand il
était arrivé à Basse-Pointe, les détenus s'étaient
serrés autour de lui :

— Raconte, raconte!

Mais il s'était replié sur ses souvenirs et sa
timidité s'était confondue avec l'arrogance.
Depuis, il ne s'était guère fait d'amis. Rodrigue,
lui, à toutes les promenades, le bombardait de
questions. C'est qu'il rageait. En prison, leur
statut s'était inversé. Il n'était plus le dieu, le
chef. Il était un délinquant ordinaire, un braqueur doublé d'un assassin, somme toute, un
bandit banal. Son timide vassal Dieudonné
avait, quant à lui, porté la main sur la déesse à
laquelle on ne doit pas toucher, l'avait déflorée
avant de la sacrifier.

Bon! En moins de deux ans, on avait encore
enlaidi le pays. Des ingénieurs venus d'Europe
avaient bâti une corniche hérissée de lampa-
daires raides comme des piquets, qui faisait
l'entour de Port-Mahault. Pour cela, on avait
rasé le quartier Justinien, balayé les cases de
miséreux qui déparaient l'espace, déraciné les

pié-bwa, flamboyants écarlates, matalpas à frondaison jaune, quénettiers, poiriers-pays. Sur le désert à quatre voies ainsi créé, les rutilants jouets de la technique automobile se bousculaient : japonaises, françaises, allemandes. Il leva le pouce en auto-stoppeur. Personne ne s'arrêta car, avec la pénombre, les conducteurs, méfiants, se cadenassaient. Heureusement, la distance qui sépare le morne Julien du quartier de la Mégisserie n'est pas considérable pour un bon marcheur.

La marina s'était encore délabrée. Des flaques de goudron et de gas-oil clapotaient contre le quai, ou à la surface de l'eau qu'elles maculaient de traînées graisseuses et noires. Les derniers propriétaires s'étaient fait la belle vers les îles où il faisait encore bon rêver. Des voyous-vandales avaient décapité les réverbères et la noirceur commençait de noyer la forêt des mâts, phallus maussades à moitié dressés dans l'air. Au moment de se diriger vers l'abribus et la station-service Texaco, les pieds de Dieudonné lui désobéirent. Ils bifurquèrent à gauche. Ainsi, ramené comme tout assassin sur le lieu de son crime, il comprit que cette quête de Boris n'était en réalité qu'un prétexte. Une manière de se rapprocher de ce qui avait été le centre brûlant de sa vie.

L'allée des Amériques, paradis sans originalité de bougainvillées et d'hibiscus, perpendiculaire au quai de la Mégisserie, était recherchée par les « métros » cossus, directeurs de banques, de maisons de commerce et de grandes sociétés. Leurs demeures avec piscines et baies vitrées affichaient ce luxe standardisé que les architectes baptisent d'un mot vidé de sens : californien. Devant la villa 18, un écriteau aguichait « À vendre ». Pourtant, il était évident que c'était par pure routine, qu'il n'y croyait pas lui-même, sachant à l'avance que, après pareil drame, aucun acheteur ne se présenterait. Une fois poussé le portail, Dieudonné vit que l'herbe était haute, que les musendas n'avaient pas supporté dix-huit mois d'abandon, et la fournaise du dernier carême, et que les hibiscus, eux, étaient morts grillés. Il s'accroupit sous les cocotiers nains au feuillage flétri et jauni tandis que les images du passé revenaient le gifler à la figure.

Loraine Féréol de Brémont restait l'unique fille d'un béké, sans rejetons mâles, dont la famille avait dans le temps exploité les trois quarts des terres du pays. Elle avait contracté trois mariages malheureux — exclusivement avec des Européens, car elle haïssait ceux de sa caste qui le lui rendaient bien. C'était une femme encore très belle, plus jeune du tout, la cinquantaine un peu empâtée, toujours couverte d'or. Les rumeurs les plus folles l'entouraient. Un cousin germain, béké de la Martinique, aurait été son amant, mais l'aurait tu par peur du scandale. Le couple aurait enfanté un enfant monstrueux, à tête de chien, caché dans une clinique de Miami. Si Loraine était la honte des békés — car elle buvait comme un trou (les uns affirmaient, depuis le départ de son mari, les autres soutenaient que non, de tout temps) ; car, sans preuve aucune, on affirmait qu'elle collectionnait les amants d'une nuit, en général jeunots et bien équipés —, certains ne pouvaient nier qu'elle avait le cœur sur la main. Toujours à secourir des compatriotes dans le besoin, en faillite, en détresse, sans se soucier qu'ils soient plus noirs qu'elle. À baptiser des enfants de toutes couleurs. À financer les recherches contre le Sida, des bourses pour les écoles ou des prix littéraires.

Évidemment quand il entra à son service, Dieudonné ignorait cela. Un matin, il avait hélé devant sa porte, comme il le faisait à toutes les maisons du quartier s'il n'y avait pas un dogue allemand ou un doberman lâché dans le jardin : aide-cuisinier, coursier, blanchisseur. La plupart du temps, on le rembarrait. Au mieux, on lui commandait de laver la voiture en échange de quelques pièces. Car, à la différence de Rodrigue qui se moquait de lui, Dieudonné éprouvait de l'aversion pour le danger et ne rechignait pas à la peine. Aucun travail ne lui semblait trop ardu, ni trop humble s'il permettait sa survie. Il avait vidé des containers sur les quais, transporté des sacs de riz, de ciment, des fûts d'huile. Surprise! Loraine l'avait écouté, l'inspectant de haut en bas de ses yeux gris de pluie. Puis, elle lui avait fait son offre de sa voix basse, éraillée par trop de booze. Justement, l'Haïtien chargé d'entretenir son jardin venait de retourner à Petit-Goâve. Sa tâche ne serait pas compliquée. Il devrait donner de l'eau aux musendas, plante jamais lasse de boire, retourner la terre au pied des crotons, les tailler, couper toutes les branches mortes, vaporiser les hibiscus malades avec une solution spéciale et une fois la semaine, tondre le morceau de pelouse. Le tout pour cinq cents francs par mois. Ce n'était pas un pactole qu'elle offrait. Loin de là, mais il se surprenait à penser que, pour elle, il aurait travaillé gratis. Pantois, il restait debout devant elle tandis qu'un sentiment inconnu, furieux, cognait à la porte de son cœur. Entre eux, les choses avaient évolué très lentement.

Dès le lendemain, elle lui avait tendu des combinaisons en tissu de parachute, une blanche, l'autre orange, l'autre bleue, et il avait compris qu'elle n'appréciait pas ses hardes. Un vieux blue-jeans. Un tee-shirt déteint. Une casquette de base-ball. Au début, l'intérieur de la villa lui était interdit. Il prenait ses outils de jardinage dans le garage, s'échinait la matinée entière sous le soleil et s'en allait à treize heures. Il n'entrait dans la cuisine, la tête en sueur, que pour boire de l'eau glacée. Puis, elle prit l'habitude de lui laisser à déjeuner sur un coin de table. Gourmande, chaque jour, sa servante lui mijotait de petits plats et ainsi, il fit connaissance avec les œufs florentine, la brandade de morue, la ratatouille niçoise et la truite en gelée. Il apprit à réchauffer son assiette au four à micro-ondes. Ensuite il la lavait et la mettait à égoutter sur l'évier. Au bout de quelques semaines, sur sa demande, il entra dans le living-room pour donner un shampoing au tapis. La maison le surprit : c'était un véritable musée. Car, il l'ignorait, Loraine, qui avait étudié la peinture à Paris, était une patronne des arts. Un temps, elle avait enseigné à l'École des arts plastiques, ce qui avait beaucoup choqué le pays. Avec tout son argent, qu'avait-elle à faire d'un salaire ? Elle soutenait que les œuvres des peintres locaux valaient mille fois celles des Naïfs haïtiens, tellement surfaits, achetait leurs tableaux, les revendait très cher à des marchands étrangers, américains surtout. Parfois, elle organisait des vernissages privés, et à l'occasion, des acheteurs se pressaient chez elle. À part cela, elle ne recevait personne. Dans le living-room, ce désordre de formes et de couleurs sur les murs mettait Dieudonné mal à l'aise et il ne regardait pas à l'entour, comme s'il était assiégé de graffitis, d'inscriptions obscènes. Il faisait une exception pour deux tableaux. L'un petit, tout dans les tons de brun. Qu'est-ce qu'il représentait? Il croyait reconnaître un poisson d'argent. Ou était-ce un croissant de lune? Le moutonnement de la mer. Ou étaient-ce des nuages? L'autre, plus grand, très grand, représentait une feuille d'arbre. Une feuille de bananier géant. Ou était-ce un visage, ses nervures symbolisant des traits, un nez, une bouche? Le deuxième mois, il s'aventura plus profond dans le bureau. Quand il entra dans la chambre à coucher, ce fut avec le sentiment d'un croyant découvrant une cathédrale. Pourtant l'endroit n'avait rien de solennel. Il y régnait un froid polaire à cause de la climatisation. Des vêtements sales étaient jetés par terre. Des pots de crème, ouverts, s'alignaient sur une coiffeuse de facture très ordinaire, au pied d'un miroir sans cadre, œil ovale contre la cloison. Seuls, une berceuse, un lit en bois de mahogany emprisonné sous sa moustiquaire, une commode ressemblaient à ces riches pièces qu'on voit à la vitrine des derniers maîtres-ébénistes. On devinait que c'étaient les restants d'un précieux mobilier de famille dispersé aux quatre vents. Dieudonné ne remarqua même pas le coffre-fort percé dans le mur à gauche du lit.

À part lui, il n'y avait que la servante dans la maison, Amabelle, une zindienne renfrognée qui ne lui donnait jamais le bonjour et téléphonait interminablement dès que Loraine ne pouvait pas l'entendre. Dieudonné finit par comprendre que son compagnon l'avait plaquée pour une jeunesse dominiquaise : une bonne amie la tenait au courant. Une fois la semaine, la camionnette de « Blanc Impec » ramassait ou livrait les serviettes, les draps, les torchons.

Chez Loraine, les jours se suivaient, aussi pareils que des jumeaux.

Depuis le pipirite chantant, sourcils froncés, elle pianotait sur le clavier d'un ordinateur, un verre et une bouteille de whisky à portée de main. Qu'écrivait-elle ? Un roman ? Des poèmes comme Boris ? Dieudonné s'efforçait vainement de déchiffrer les lignes phosphorescentes sur l'écran verdâtre. À midi trente, elle déjeunait, les yeux fixés cette fois sur le journal télévisé. À deux heures, elle s'enfermait dans sa chambre pour une sieste qui s'éternisait jusqu'à cinq heures. Puis, soucieuse soudain de se donner de l'exercice, elle enfilait une tenue de jogging, sortait, descendait l'allée des Amériques et arpentait toute la longueur du quai de la Mégisserie. Vite essoufflée, elle s'asseyait sur les bancs du square Jean-Bart, fixant les eaux de la baie qui, à mesure que descendait le serein, empruntaient la tristesse de ses yeux. Elle remontait l'allée des Amériques quand les dogues allemands et les dobermans montraient leurs crocs blancs par-dessus les haies. Une fois chez elle, elle recommençait à boire, se tassait jusqu'à minuit devant sa télévision, s'endormait, la bouche ouverte. Quand Dieudonné commença-t-il de lui offrir son bras pour ses promenades de l'après-midi ? La brise de mer ébouriffait les amandiers-pays : ils revenaient à pas lents, sourds au concert des molosses et, en lui, le bonheur commençait d'éclore, pareil à une fleur fragile. Quand commença-t-il de courir en pleine nuit à la boutique de la station Texaco pour lui acheter de l'alcool ? Grâce à son deuxième mari écossais, les single malt, Clynelish, Dalwhinnie, Glen Grant n'avaient pas de secrets pour elle. Pourtant, quand elle était en manque, elle avalait n'importe quoi. Quand commença-t-il de l'entourer de soins ? Réchauffer son dîner. Mettre son couvert. Allumer la télévision, zapper, éteindre. Mettre Loraine au lit. La déshabiller. Faire glisser la soie d'une chemise de nuit sur son beau corps ravagé. Ses seins défaits aux mamelons trop lourds. Son ventre aux rondeurs de calebasse. Il prit l'habitude de dormir léger, léger, comme une mère dont l'enfant est fiévreux, car ses nuits étaient peuplées de mauvais rêves, toujours les mêmes, de douleurs, toujours les mêmes. Il s'aménagea une chambre dans le garage entre la jeannette et la machine à laver d'Amabelle. Et, la servant ainsi, il croyait servir Marine ressuscitée. Il se sentait revenu au temps où sa mère vivait encore, prostrée dans son fauteuil, pareille à une momie, ne communiquant avec lui que par ses regards toujours lumineux à force de tendresse. Le schéma de leurs relations était immuable. De toute la journée, ils ne se disaient rien, comme si chacun restait à sa place. Le soir ouvrait des vannes en elle et elle se confiait interminablement, ressassant les vieilles blessures, l'élocution de plus en plus embarrassée, la voix de plus en plus inaudible au fur et à mesure que s'avançait la nuit. Il comprit vite qu'elle était aussi seule sur terre que Marine. Ses parents morts depuis des années ne l'avaient jamais aimée, se plaignait-elle. Florelle, sa sœur, de neuf mois son aînée, avait été emportée par une leucémie à quinze ans et, depuis, elle ne savait plus laquelle était vive, laquelle était morte. Elle ou moi ? Elle n'avait pas d'enfant. Toute sa parentèle l'avait reniée. Dieudonné, lui, n'ouvrait guère la bouche. Ce n'était pas ses histoires mélodramatiques, départ des Cohen, maladie et mort de Marine qu'il aurait aimé tresser en feston autour de sa tête. Il aurait aimé dissiper les nuages qui éteignaient sa joie, l'amuser, la faire rire. Il n'avait pour tout motif que les croisières de son enfance. Il brodait. Parfois, on abordait à des îlots déserts, peuplés en tout et pour tout d'épineux sans parfum et de cabris sauvages. On jetait l'ancre dans des baies sans nom connu et on nageait dans leurs eaux à fonds blancs. Une nuit qu'on dérivait en se guidant sur les étoiles, on se heurta à des cayes. La coque fut perforée. En hâte, en hâte, on dut regagner la côte dans l'annexe. On dressa une tente pour les petits. Les adultes dormirent pelotonnés dans le sable crissant, blanc comme du sel gemme.

Dieudonné aimait surtout les matinées. Quand il revenait de sa brasse quotidienne au Goulet, Loraine était déjà réveillée. Il s'affairait à sa toilette. La salle de bains s'ouvrait de plain-pied sur le jardin. Les massifs d'oiseaux de paradis, les buissons d'hibiscus, et les sels dont il parfumait l'eau avaient l'odeur des lauriers-roses. Loraine renversait la tête en arrière, toute dolente pendant qu'il promenait l'éponge sur ses parties les plus secrètes. Quand la caresse devenait trop indiscrète, elle rouvrait les yeux et lui adressait un petit sourire de connivence, doux comme le jour qui se profilait par-delà les persiennes. Ensuite, il choisissait avec elle des vêtements dans la penderie, les disposait sur le lit, l'aidait à les enfiler. Elle aimait à porter du blanc. Du lin. Parfois aussi, elle s'habillait tout en noir comme si elle était en grand deuil.

Il aimait aussi le début de la nuit. Tandis qu'elle ronflait, pendant des heures, il feuilletait les albums de photos qu'elle gardait dans sa commode. Il se foutait pas mal des images de sa famille : son père béké très digne affublé d'un haut col dur, coiffé d'un casque colonial; sa mère : jeune épousée en robe de voile, le corsage bouffant, resserré à la taille par un large nœud de ruban, debout sur de hauts talons, s'appuyant de la main droite sur un fauteuil Voltaire; sa sœur brune et trop joufflue. Ses regards n'allaient qu'à elle : petite fille, adolescente, jeune femme. Tellement belle à vingt ans, les cheveux dans les yeux, souriant de toutes ses dents de nacre à cette vie qui devait tellement la décevoir.

Une seule fois, il y eut un changement à la routine, bien qu'on puisse affirmer qu'en amour il n'existe pas de routine. Les mêmes gestes, les mêmes mots répétés mille fois procurent à chaque fois le même ravissement.

Yolande Féréol de Brémont venait de mourir dans sa quatre-vingt-deuxième année. C'était la tante paternelle et, selon la tradition, la marraine de Loraine, la seule parente avec laquelle elle eût gardé quelque contact. Elles se téléphonaient deux fois l'an, à la Noël et au Joud'lan. Elles s'envoyaient des fleurs aux anniversaires, et se congratulaient mutuellement sur la beauté de leurs gerbes. Au Jour des Morts, elles s'entendaient sur les couronnes qui devaient honorer leurs nombreux défunts. Yolande Féréol de Brémont habitait Saint-Léger-des-Feuilles, commune de montagne située à l'autre bout du pays à la lisière de la forêt dense où, à cause de la fraîcheur, les planteurs bâtissaient autrefois leurs résidences. Depuis quelque temps, les bourgeoisies noire et mulâtre l'avaient envahie avec leurs tapageuses demeures en béton armé, leurs piscines bleutées et leurs jacuzzis, mais il restait une douzaine de villas de bois, antiques et délabrées, entourées de jardins en fouillis — car tout poussait à Saint-Léger-des-Feuilles — au bout d'allées de cocotiers nains ou de palmiers royaux. Pour se rendre à la veillée et à l'enterrement, Loraine entreprit de laborieux arrangements en vue de louer une voiture et donna l'ordre à Dieudonné de l'accompagner. Il en fut ravi car, si avec les Cohen, il avait sillonné la mer des Antilles, et abordé à Grenade, aux Grenadines et à Grand Cayman, s'il avait fait des incursions dans l'océan Atlantique, il avait rarement dépassé Port-Mahault. Ils partirent vers quatre heures de l'après-midi, la voiture bourrée de bouteilles-viatiques de whisky et s'élancèrent à quarante kilomètres à l'heure à l'assaut des contreforts montagneux. Loraine conduisait quand même d'une main assez sûre, tout en racontant une série d'anecdotes qui avaient trait à la défunte :

— C'est elle qui aurait dû être ma mère. Elle était comme moi frondeuse, rebelle. Comme elle s'était amourachée d'un mulâtre, à vingt ans, ses parents l'ont enfermée dix ans dans un couvent. Quand elle en est ressortie, elle s'est

74

mise en ménage avec un nègre. Certains disent qu'ils se sont mariés secrètement. Malheureusement, comme moi, Yolande était stérile. Le couple n'a jamais eu d'enfants.

Dieudonné regardait de tous ses yeux ce paysage, pour lui tellement nouveau, ces bananeraies, ces dais de fougères arborescentes, cette canopée d'arbres vénérables, aux aisselles rongées de lianes et d'ananas-bois. De frais, l'air devint presque froid. La pluie se mit à tomber, s'arrêta, tomba encore. Le brouillard enveloppait toute chose. Ils arrivèrent au début de la nuit dans la maison mortuaire. Un couple de serviteurs zindiens septuagénaires prit les bagages et les précéda sans mot dire dans les escaliers. On la connaissait Mademoiselle Loraine et son cortège de gigolos nègres. Celui-là ne durerait ni moins longtemps ni plus longtemps que les autres. Au galetas, la chambre qu'ils leur donnèrent était aussi nue, aussi austère qu'une cellule de moine, mais dotée d'une vue imprenable sur l'affaissement mauve des montagnes et sur la mer, là aussi souveraine. Un balcon surplombait l'emmêlement des pié-bwa.

Tandis que Loraine se reposait, Dieudonné crut bien faire de descendre au salon, transformé en chapelle ardente. C'est en pénétrant dans la pièce, illuminée de mille bougies, où, à demi recouvert d'un monceau de fleurs, le cadavre semblait attendre les derniers baisers des vivants, qu'il réalisa l'énormité de sa présence. Il était de trop. Autour de lui, il n'y avait que des blancs, des békés, certains venus de l'île voisine, exhibant leurs peaux fripées de parchemin, leurs chevelures fadasses, le fixant avec une muette réprobation de leurs prunelles décolorées. Ce qui frappait en plus de leur couleur, c'était leur âge. Pas de jeunes ni d'enfants. Tous avaient largement passé cinquante ans. On aurait dit qu'étaient groupés là les derniers survivants, les gardiens de plus en plus chenus, fragiles et menacés d'un temps qui ne reviendrait plus, mais dont ils gardaient la nostalgie ancrée au cœur. Il faillit s'enfuir, mais une femme au teint diaphane lui désigna une chaise avec autorité et il prit place, tremblant de tous ses membres.

Deux heures plus tard, Loraine rejoignit l'assemblée, maquillée à outrance, trébuchant sur des escarpins à talons aiguilles, la taille prise dans une ceinture vernissée, vêtue d'une robe qui n'aurait pas déparé Gloria Swanson dans *Sunset Boulevard*. Elle embrassa avec une effusion excessive la moitié de l'assistance, attira un siège avec bruit, puis se mit à chanter plus fort et plus faux que personne. Elle était éméchée, paf, partie. Pourtant, Dieudonné qui la connaissait mieux que les autres, savait que le whisky ne jouait pas un rôle essentiel dans ces débordements-là. Elle entendait susciter le trouble, le scandale, la colère. Hélas! Elle ratait son coup.

Tous la fixaient sans colère, avec une sorte de patience résignée, comme s'ils savaient que, en dépit de ses frasques et ses caprices, elle leur appartenait, fille et sœur, marquée à tout jamais du sceau indélébile de l'origine commune. Loraine prit longtemps part à la veillée. Vers une heure du matin, elle se signa avant de prendre son congé et ostensiblement ordonna de la suivre à Dieudonné, honteux, qui ne savait où se mettre. Il obéit pourtant. Avant de monter, il parcourut les salons du rez-de-chaussée. Çà et là, quelques tapis recouvraient les planchers vermoulus. Des miroirs béaient contre les cloisons. À part cela, les pièces étaient curieusement vides, tous les meubles, les bibelots, les tableaux de prix ayant disparu. Vendus? Yolande était-elle ruinée? Où avait passé la légendaire fortune des Féréol de Brémont? Il s'aventura dans le jardin, dernière richesse, où s'effeuillaient des massifs de gardénias et de roses. Quand il la retrouva sous les toits dans la chambre qui fleurait bon la térébenthine, le chèvrefeuille, et l'odeur inimitable de la montagne, Loraine ronflait déjà dans sa luxueuse chemise de nuit de dentelle. Il passa la nuit sur le balcon, roulé dans une couverture pour se protéger de la bise qui tombait, glacée, des hauteurs.

Le lendemain, on porta Yolande en terre. Le caveau familial, une majesté de marbre noir et blanc, perdue sous les filaos, s'élevait dans un petit cimetière, mal entretenu, envahi d'herbes de Guinée, au flanc de l'église où reposaient principalement des békés. Sur les tombes, des noms à tiroirs rappelaient d'anciennes splendeurs, d'anciennes gloires. Loraine pleura beaucoup :

— Tu ne peux pas comprendre. C'est comme si c'est moi qui étais morte, souffla-t-elle à l'oreille de Dieudonné en remontant en voiture. Personne ne l'aimait. Personne ne m'aime. Ni elle ni moi, nous ne laissons personne après nous.

5

Il n'y eut qu'une ombre au bonheur de ce temps-là.

On ne sait comment, Loraine fit l'acquisition d'un chiot. Un beau matin, Dieudonné se trouva nez à nez avec une petite créature qui ne tarda pas à exercer dans la maison un pouvoir despotique. À toute heure de la journée, Loraine l'accablait de baisers, de caresses, enguirlandait des mots doux autour de ses oreilles. La nuit, elle la mettait à dormir dans une sorte de moïse garni de coussins de soie et de velours qu'elle plaçait à côté de son lit. Après le lait écrémé enrichi d'un jaune d'œuf, elle la nourrissait de sa main de tranches de filet de bœuf et de croquettes de poulet. C'était un étrange spectacle, assez pathétique, que celui de cette femme froide, fermée, voire maussade qui soudain fondait sans retenue en mièvreries. Ce chiot n'était pas un de ces bébés mastodontes musclés et mafflus qu'auraient pu lui vendre ses voisins de droite et de gauche, vite dressés à garder, attaquer, voire tuer. C'était un ridicule loulou femelle, qu'elle baptisa d'ailleurs Lili, guère plus gros qu'un lapin, le poil roussâtre, strié de noir, aussi soyeux qu'une chevelure d'enfant, retombant sur ses yeux mobiles, perçants, en boutons de bottine. Pour des raisons connues d'elle seule, la stupide bête prit Dieudonné en grippe. Dès qu'elle l'apercevait à l'autre bout du jardin ou quelque part dans la maison, elle perdait son souffle en aboiements, jappements, grondements, découvrant des crocs minuscules quoique acérés, plantés serré dans sa gencive, et une langue râpeuse, couleur rouge sang. Parfois, elle s'enhardissait, l'approchait et, avec audace, faisait mine de s'accrocher aux jambes de sa combinaison. Si elle se réveillait la nuit et le voyait emmêlé dans les draps du lit, elle manquait s'étouffer de rage jusqu'à ce que Loraine, pour lui plaire, renvoie son compagnon. Dieudonné, malade de honte, regagnait sa banquette dans le garage. Le comportement de Lili faisait rire Loraine aux larmes. En se tordant, elle s'efforçait de calmer l'horrible roquet :

— Mon doudou, laisse-le tranquille, voyons !

Tu es jaloux ? Tu sais bien que tu es mon seul et unique amour !

C'était la tâche d'Amabelle d'emmener Lili faire ses besoins, marchant crochu et remuant son derrière le long de l'allée des Amériques. Si elle s'en acquittait sans mot dire, il était clair que Lili lui inspirait la plus profonde répugnance. Comment parvint-elle à s'en décharger habilement sur Dieudonné ? Toujours est-il qu'en plus d'escorter Loraine, il se trouva deux fois par jour à mettre Lili en laisse et à la promener dans le quartier. Rien pour lui n'était plus humiliant. Surmontant son animosité, Lili acceptait bien de se taire et de le suivre. Mais, une fois dehors, elle commençait par foncer comme une folle, l'obligeant à courir lui aussi. Puis, sans crier gare, elle s'égaillait dans toutes les directions, ou bien elle s'arrêtait, levait la patte, pissait contre un pied de bougainvillée ou, pis encore, se délivrait doulou-reusement d'une crotte noire et fétide tandis que Dieudonné était bien forcé d'attendre. Comme Amabelle, comme tous les gens du pays, Dieu-donné détestait et redoutait les chiens. C'est une vieille affaire. Au temps de la plantation, les chiens ont poursuivi le nègre en fuite, traqué, fait saigner le marron pour le compte du Maître. En outre, chacun sait que les Esprits adorent se tour-ner en chiens, prenant, pour jouer leurs mauvais tours, la forme de l'ennemi séculaire. Pis encore, il s'agissait d'un animal tout juste bon à exciter l'hilarité ou la pitié. Au fil des jours, la haine que Dieudonné éprouvait pour le chiot atteignit son paroxysme. Il ne supportait plus qu'il soit constamment fourré contre le sein de Loraine ou sur ses genoux. Il ne supportait plus que celle-ci couvre de baisers passionnés sa petite gueule baveuse, le fasse manger dans son assiette ou laper le fond de son verre. C'est à lui que ces attentions auraient dû être réservées. Or elle ne lui manifestait jamais qu'une rude condescendance.

Une fin d'après-midi donc, il prit avec Lili le chemin de *La Belle Créole*. Bientôt, le ciel allait perdre sa couleur bleu électrique et virer au mauve. Les ondes de chaleur ne se propageaient plus. Une brise poussive se levait, ridant la surface de la mer. Les bateaux alanguis terminaient leur sieste et se préparaient pour la nuit. Il le savait, étant donné l'abondance de toutes qualités de rongeurs, Boris gardait de la mort-aux-rats dans un placard de la cuisine. Il mélangea soigneusement les granulés roses à un restant de viande hachée qui traînait par là, posa le tout sur une soucoupe qu'il déposa devant Lili. Habituée à des nourritures ô combien plus fines, la petite bête flaira d'abord ce mets avec dégoût. Finalement, l'odeur de pourri dut lui plaire, car elle se jeta là-dessus voracement, se léchant et se pourléchant les babines pour finir.

La mort fut pratiquement instantanée. Lili se

vida d'une purée sanguinolente, émit quelques gémissements rauques, puis se coucha sur le côté, raidissant ses quatre pattes. Silence. Quand ce fut fini, Dieudonné l'enveloppa d'un sac en plastique et alla l'enfouir dans une des poubelles du quai.

Puis il revint allée des Amériques avec une histoire confuse selon laquelle Lili, fantasque à son habitude, aurait échappé à sa surveillance. Comme elle était partie en flèche jusqu'au mitan de la route, les roues d'une voiture l'avaient écrabouillée. Si, à sa mine, Dieudonné devina qu'Amabelle ne croyait pas un mot de ce qu'il racontait, ce récit plongea Loraine dans une frénésie de cris et de pleurs. Il eut toutes les peines du monde à l'empêcher de courir sur les lieux de l'accident. Ensuite, elle s'enferma dans sa chambre. Quand il vint l'y rejoindre, en une de ces tirades désolées dont elle avait le secret, elle lui donna la clé de son chagrin :

— Tout se répète! Ce n'est pas la première fois que cela m'arrive. Tu vois, je suis maudite. Quand j'étais petite, cinq ans, six ans, alors que nous passions les vacances dans notre propriété de Saint-Léger-des-Feuilles, quelqu'un de la famille nous a donné un chien à Florelle et moi, tout blanc, tout bouclé, celui-là, une sorte de caniche. Nous l'avons baptisé Lili. Nous l'emmenions tout partout, même à l'église, nous l'adorions. Tu ne me croiras pas, un après-midi que Sophie, notre meilleure amie, venait jouer avec nous, son chauffeur en faisant marche arrière a écrasé Lili sous nos yeux. Il ne s'est même pas excusé.

Ses larmes semblèrent intarissables.

Pendant des semaines, Dieudonné ne put savourer sa victoire. Il ne put approcher Loraine pour s'abreuver dans ses eaux. Elle refusait de se nourrir et noyait sa peine dans du whisky. Toujours plus de whisky. Amabelle n'en finissait pas de ramasser des bouteilles vides de single malt. Aussi, dès neuf heures du soir, elle s'endormait, bouche ouverte, devant la télévision, insensible aux heurs et malheurs des blondes Américaines qui la passionnaient à l'habitude. Il la portait sur son lit, la changeait, puis la regardait dormir des heures entières, le cœur partagé entre le remords du crime qu'il avait commis, la tendresse et la possessivité.

Inutile de dire qu'une fois Dieudonné au service de Loraine, ses maux de tête s'envolèrent. À croire que ses regards, son odeur, ses rares sourires, toute sa personne composaient une drogue plus magique que le crack, plus puissante que tous les remèdes. Boris, sagace, lui conseillait de se méfier. La femme a été créée pour la perdition de l'homme, c'est connu. Plus encore que les noires, les blanches sont vicieuses, dangereuses, des serpents à sonnette. Il accumulait les exemples.

— Ève a perdu Adam. Hélène a causé la guerre de Troie. Cléopâtre a fini Antoine et César. La Malinche a baisé avec Cortés et ça a été la débâcle pour les Incas. Qu'y a-t-il exactement entre vous ?

Dieudonné tentait de décrire un sentiment qui transfigurait sa vie, lui donnait brusquement un but, un sens, une direction. Puis, il s'apercevait que Boris voulait simplement savoir s'il couchait avec Loraine. Alors, il se fermait sur lui-même. Ce n'était l'affaire de personne.

6

Cette extraordinaire félicité dura près d'un an.

Environ une semaine, dix jours, avant la Noël, et prémonition du drame ? les six-mois-six-mois versaient des larmes de sang dans les plates-bandes, un taxi grinça devant la villa. Un jeune homme charroyant des valises et une caisse gigantesque en descendirent. L'inconnu était beau. La trentaine. Ses cheveux étaient aussi dorés que ceux de Dieudonné étaient noirs. Par contre, sa peau était presque aussi foncée. Bref, c'était un de ces métis inclassables qui ont toutes qualités de sangs mêlés en proportion inégale. Blanc. Noir. Zindien. Ses yeux étincelaient, et il avait l'air de défier le monde du haut de sa petite taille, car il était petit. Il donna chaleureusement le bonjour à Dieudonné comme s'il tombait par chance sur un ami perdu de vue depuis long-temps. Il se dégageait de sa personne un charme, irrésistible comme celui d'un enfant, mais que l'on devinait fatal, au sens premier du terme, qui cause la fatalité, la mort. En le voyant, Dieu-donné, qui n'avait jamais envié personne, fut possédé d'un désir qu'il ne put contrôler : être cet inconnu, se glisser à l'intérieur de sa peau, vivre à son souffle, suspendu aux battements de son cœur. À ce moment, Loraine, qui guettait, sortit en vitesse sur la galerie. Il lui tendit les bras, d'une manière volontairement théâtrale. Elle s'y jeta et ils s'embrassèrent, se pelotèrent sans rete-nue, là, sous ses yeux, comme s'il ne comptait pas plus que les fleurs fanées, les branches dessé-chées, la terre piétinée à l'entour. Dieudonné, prêtant l'oreille, entendit bientôt qu'il s'appelait Luc, prononcé Luke, qu'il était peintre, immigré à New York. D'où sortait-il ? Du morne Vert, un trou perdu de la région des Salines dont il était sûrement le seul titre de gloire. À peine arrivé, il ouvrit sa caisse et commença d'accrocher ses œuvres. Quelles toiles ! Des formes inquiétantes, tantôt fantaisistes, curieusement tarabiscotées, tantôt géométriques, cubes, rectangles, pyra-mides, étalées sur des fonds verdâtres, bleuâtres, glauques, accouchées par un esprit que l'on devi-nait mal portant, pas sain. Tandis que Loraine, joyeuse, animée comme il ne l'avait jamais vue, commentait chaque toile avec admiration, sans cesse pour autant de remplir son verre, Dieudonné, son plumeau à la main, pensait que si on lui confiait des pinceaux et de la gouache il en ferait, à coup sûr, meilleur usage. À un moment, Luc se glissa à côté de lui et l'interrogea familièrement :

— Ça te plaît, mec ?

Dieudonné ne sut que répondre. Luc sourit de son sourire inimitable :

— Tu vois, le plus dur, c'est de ne jamais poser ce genre de questions. Se foutre de l'opinion des autres. Se fermer aux autres. Une part de notre formation consiste à aller dans les musées et à copier les maîtres. Alors, on fait du Ingres, du Manet, du Picasso. J'ai passé un an à l'Academia San Carlos à Mexico. Alors après, je faisais du Diego Rivera. Je remplaçais les péons par des paysans nègres, Zapata par Ignace ou Delgrès et le tour était joué. À présent, je commence, je commence seulement à être moi-même.

C'était la première fois depuis des années que quelqu'un parlait à Dieudonné comme s'il était un égal. Loraine s'adressait toujours à lui avec une sorte de dérision. Boris du ton dont on s'adresse à un enfant. Rodrigue, à un naïf qui ne veut pas comprendre le pas du monde. Quant à Amabelle, elle l'ignorait. Il regarda Luc avec stupeur et gratitude. Mais Loraine s'approchait.

D'un commun accord, ils s'éloignèrent l'un de l'autre comme s'ils avaient commis une action défendue ou qu'ils ne voulaient pas partager avec elle.

Vers midi, Loraine et Luc disparurent. Amabelle lui servit son repas, mais Dieudonné ne put y toucher. Une douleur qu'il n'avait pas ressentie depuis longtemps lui enserrait la tête, l'estomac, le cœur aussi. Tout l'après-midi, il demeura aux aguets, étendu dans le garage. Mais Loraine et Luc ne reparurent pas.

Las d'attendre, quand le soleil se coucha dans son orgie de sang quotidienne, il alla se réfugier à *La Belle Créole* où, hormis lors de son bref passage avec Lili, il n'avait pas mis les pieds depuis des mois et se heurta à Boris, qui s'y abritait du mauvais temps. Cette année-là, l'hivernage était précoce. Depuis le mois de septembre, des pluies tombaient, tombaient, remplissant à déborder les grands fonds plats, gonflant les cours d'eau, transformant les razyé secs en marais. Boris qui avait fait bonne vente à des touristes, tout joyeux, se cuisinait un petit frichti. Il releva le front :

— Tu en fais une tête ! Elle t'a balancé ? Elle en a trouvé un autre ? Ça devait arriver. Cette femme-là, c'est une usine, tu sais !

Boris ne savait rien de rien de Loraine, mais répétait avec conviction les ragots qui se colportaient sur son compte. Comme Dieudonné dédaignait de répondre, il enchaîna :

— Sur mon conseil, Gérard Benjamin va déclencher la grève des employés municipaux dans tous les services. Pas seulement à Port-Mahault. À Langlane, Dieurif, Fonds-Grand-bois. À travers tout le pays ! Ça va chauffer.

Gérard Benjamin que tout le monde appelait par son nom savane, Benjy, était le secrétaire-général du P.T.C.R., syndicat responsable de la multiplication des grèves. Déjà, les politiciens traditionnels l'accusaient de vouloir aborder à lendépendans tandis que les intellectuels de gauche, voyant en lui leur seul espoir, se frottaient les mains et lui donnaient du Benjy le Rouge. Ce que tout le monde ignorait, c'était l'influence de Boris sur lui. Benjy et Boris étaient parents, parents comme on l'est à la mode du pays. Surtout, ils s'étaient assis côte à côte sur le même banc depuis la maternelle jusqu'au B.E.P.C., avaient goûté aux mêmes cuisses, chaloupé aux mêmes slows, s'étaient cuités au même rhum agricole et, toujours, Benjy avait regardé Boris comme son Bon Dieu. Malgré la débandade de sa vie, il n'avait pas changé d'avis. Au contraire. Dans un monde bassement matérialiste, il le considérait comme une victime de son idéalisme et de sa pureté. Il lui rendait visite chaque après-midi à la même heure, chassait férocement les curieux qui assiégeaient l'abribus et, gravement, lui demandait son avis sur tout. Boris répondait, faisant son matamore. Ensuite, il chuchotait à l'oreille de Dieudonné qu'il était le seul et vrai patron du P.T.C.R., Benjy n'ayant jamais lu que des B.D. et, ô honte, n'ayant pas ouvert *Das Kapital*. Dieudonné, quant à lui, n'avait pas de temps pour Benjy. Dès que l'autre se profilait dans les parages, il disparaissait. Benjy et Boris l'ennuyaient avec leurs discours. Toujours à lui seriner qu'il appartenait à la classe des opprimés. Opprimé par qui? Opprimé par quoi? Il était né dans un mauvais berceau, manque de chance! La chance, cela ne se discute pas. C'est affaire de hasard. Ça sourit à droite, ça prive à gauche, voilà tout! Il ressortit sur le pont tandis que Boris pérorait:

— Pas de doute, ce qu'il nous faut pour nous sortir de là où nous sommes, c'est un leader. Mais, ils se trompent ceux qui s'imaginent que Benjy est coupé pour ce genre de tâche.

Où étaient-ils? Que faisaient-ils depuis le matin? Loraine n'avait pas de famille, pas d'amis, pas de relations, personne à visiter, nulle part où aller!

Le carré était détrempé. Il s'appuya contre la bôme. Dans le brouillard, une lune cabossée accrochée à la pointe de son mât, le monocoque se balançait sur la houle. De l'autre côté de la baie, les lumières de Petite-Anse clignotaient, pareilles à des feux de détresse. Un Boeing gronda au-dessus de sa tête et il le suivit du regard. Dans huit heures, il allait redescendre sur la terre et se poser à l'aéroport Roissy-Charles-de-Gaulle. La Ville Lumière. Les Champs-Élysées, la plus belle avenue du monde. La tour Eiffel, flèche d'acier, merveille de la technique! La Pyramide, joyau insolite du Louvre. Bizarre! Tous ces clichés, dont les gens se remplissent la bouche, n'excitaient pas son imagination. Paris, voilà, un endroit qui ne l'attirait pas! Ce qu'il aurait aimé visiter, c'est Hollywood à cause de certains films vus à la télévision.

Les lanières de la pluie le lacérant sans pitié, il dut retourner s'abriter dans la cuisine. Boris avait écarté son assiette et pointe bic à la main, fignolait sa dernière création. Admirable Boris! Sans avenir, parfois le ventre à moitié vide, il n'avait jamais cessé de composer, persuadé qu'un jour sa poésie allait lui attirer amour, gloire et beauté, conquérir le monde comme celle de ses maîtres, Shakespeare, ou Neruda.

Dieudonné s'accroupit dans un coin. Une question, répétitive comme le motif musical d'un disque rayé, occupait son esprit. Où étaient-ils? Le feu de la jalousie le brûlait. Sur le coup de minuit, Rodrigue fit irruption dans le carré. Pour une fois, pas de beautés bon marché à ses côtés. Deux jeunes gens l'air farouche, coiffés de dreadlocks, roussies comme des feuilles de tabac. L'un d'eux ouvrit sa macoute sur une artillerie : deux pistolets Beretta, 6,35 mm, un Walther PPK 7,65 mm, un fusil à canon scié, des armes sombres, meurtrières, telles qu'on en voit au cinéma. Malgré lui, Dieudonné s'approcha. Il n'avait jamais vu de pistolet, à part le bijou, incrusté de nacre, que Loraine posait le soir à la tête de son lit. Elle prétendait avoir pris des leçons de tir avec un de ses maris. Mais Dieudonné n'en croyait rien. Ce joujou-là n'était bon qu'à exorciser ses peurs. Les armes de Rodrigue avaient un tout autre aspect. Elles paraissaient réelles et étaient déplacées dans ce cadre anodin, sur cette table de formica, à côté des restants d'un pauvre repas. Rodrigue expliqua qu'il avait acheté le lot fort cher à des Dominiquais et baissa la voix : il préparait un exploit à marquer les annales du pays. Il allait mettre à sac Millénium, le grand magasin d'informatique, en cette saison bourré de cadeaux, ordinateurs, téléphones portables, chaînes hi-fi, disques laser. Le plan ? Une machine bien huilée. Un comparse les attendrait, prêt à rouler au volant d'une camionnette. Un autre, prêt à naviguer, au gouvernail d'un hors-bord, qui se balançait déjà dans le secret d'une anse proche de Port-Mahault. Et puis, en route pour la Dominique, première étape ! Ensuite, à nous, la dolce vita en Floride ou, mieux, en Californie ! Beverly Hills ! Les rodomontades de Rodrigue avaient le don d'exaspérer Boris, les deux hommes ne se supportant pas, et il se mit en demeure de le sermonner doctement. La Bible l'a dit : celui qui frappe par l'épée périra par

l'épée. La violence n'engendre que la violence.
Soit! Le pays était gangrené! Mais sa guérison
passait par des remèdes politiques. Au seul mot
de politique, Rodrigue riait aux larmes. Fatigué
de ces discussions, toujours les mêmes, Dieudonné sauta sur le quai. La pluie, épuisée par ses
accès de violence, s'était calmée. Elle l'enveloppa
tiède aux épaules. Il courut jusqu'à l'allée des
Amériques. La maison était plongée dans le noir.
Dieudonné vérifia toutes les issues : portes,
fenêtres, garage fermés. Rejeté, exclu, il s'assit
dans le jardin. Dans la noirceur, l'ylang-ylang
embaumait le bonheur perdu.

Il devait être deux ou trois heures du matin
quand il entendit l'éclat de son rire, elle qui riait
si rarement. Puis il distingua la lumière de ses
cheveux, comme elle s'avançait trébuchant,
s'appuyant sur le bras de Luc alors que, pensait-il, elle ne pouvait s'appuyer que sur le sien.
En même temps, parallèlement pour ainsi dire,
son regard ne parvenait pas à se détacher de ce
Luc qu'il aurait dû haïr puisqu'il détournait,
volait son bien, mais qu'il ne haïssait pas, possédé par une émotion violente, retenu à chacun
de ses gestes comme par un aimant. Le couple
emprunta l'allée bordée d'hibiscus et s'engouffra
à l'intérieur, rabattant les grosses portes, faisant
tourner la clé dans la serrure avec un déclic sec
qui lui signifiait « Mâche » comme à un chien. La
pluie se remit à tomber. D'abord, fine, fine. Puis

enragée, piétinant de toutes ses forces le gazon, les plates-bandes, cinglant les arbustes. Un coup de tonnerre ébranla l'air immobile ; puis, suivit la lueur de l'éclair, bleuâtre, aveuglante.

S'était-il trompé en croyant qu'elle avait besoin de lui, autant qu'autrefois Marine avait besoin de lui ?

Quand il revint prendre son service, le lendemain, les deux dormaient encore. Et il imaginait le sanctuaire de cette chambre où il ne pénétrait qu'en tremblant, assombrie par ses persiennes baissées, et eux, dans le mitan du lit défait. Elle se réveilla la première, sortit sur la galerie, et lui jeta un regard où entrait, crut-il observer, une pointe de remords. Par contre, Luc apparut quelques heures plus tard, souriant, naturel, ouvertement amical. Sur ce point, comme sur tant d'autres, Maître Serbulon avait fait bon marché de la vérité. Vis-à-vis de Dieudonné, Luc n'avait jamais manifesté ni mépris ni arrogance. Bien au contraire. Il avait dès les premiers jours tenté de faire naître la complicité entre eux. Signifié que, face à Loraine, ils appartenaient au même bord, au même camp. Parfois, Dieudonné se laissait aller et, par monosyllabes, répondait à ses avances. Parfois, inquiet, il se refermait sur lui-même. Comme s'il avait peur. Il ne savait de quoi.

Dès le lendemain de son arrivée, Luc signifia qu'il ne tolérait pas que Dieudonné mange, tout seul, debout comme un cheval dans la cuisine et il lui assigna une place à table entre Loraine et lui. Dieudonné s'asseyait donc paralysé de timidité, maniant ses couverts comme s'ils étaient en plomb. Si encore Luc oubliait sa présence ! Mais non ! Tout au long du repas, il l'aiguillonnait, le forçait à prendre part à la conversation :

— Dis ! Qu'est-ce que tu en penses ?

Loraine donnait des signes d'impatience :

— Fous-lui la paix ! Tu vois bien qu'il ne pense rien.

— Mais si, répliquait Luc, adressant à Dieudonné un sourire d'encouragement. Simplement, il n'a pas l'habitude de s'exprimer.

Il était visible que Loraine n'appréciait pas ce ton de camaraderie et de plus en plus, par contraste, traitait Dieudonné comme un subalterne et un importun. Mais Luc n'en faisait qu'à sa tête. Un midi, au café, il pria Dieudonné de le conduire à son bateau. Comme ce dernier hésitait, Loraine vira sur lui et lui ordonna sauvagement :

— Fais ce qu'il te dit. Tu n'entends pas ?

Puis elle quitta la pièce et claqua la porte de sa chambre derrière elle. La mort dans l'âme, Dieudonné obéit. À cette heure, le soleil aveuglait. Les deux garçons piétinaient leurs ombres violettes ramassées sous leurs pieds. Luc parcourut le monocoque du haut en bas, n'oubliant ni la salle d'eau, ni le coffre à voiles, maniant les taquets, les chandeliers, se penchant par-dessus le balcon. Pourtant, il était clair que tout cela ne l'intéressait pas. Que voulait-il? En fin de compte, il demanda :

— Comment est-ce que tu es devenu skipper?

— J'ai fait l'école de voile, dit fièrement Dieudonné. Jusqu'au niveau orange. Après, je me suis entraîné avec Vincent Cohen.

Assis dans le carré, Luc le fixait d'un air qui le mettait mal à l'aise, comme s'il l'appréciait, prenait sa mesure. Finalement, il laissa tomber :

— Tu pourrais gagner beaucoup d'argent avec ça. Te louer pour des croisières!

Dieudonné haussa les épaules :

— Avec quels touristes? Il ne vient plus personne par ici. Les dernières agences de bateaux de location ferment.

Luc eut un soupir :

— Foutu pays que nous avons là! Je crois, quant à moi, que je n'y remettrai plus jamais les pieds. Plus personne n'a de l'argent pour mes tableaux. Plus personne ne s'y intéresse.

Aussitôt, le cœur endolori de Dieudonné fut inondé de bonheur. Ainsi, il aurait Loraine pour lui seul! Luc se leva et enchaîna sans transition :

— Personnellement, je déteste la mer. Une fois, je suis allé visiter une de mes tantes à Marjane. Pendant la traversée du canal, j'ai rendu tripes et boyaux. J'ai cru que j'allais mourir.

Brusquement, il sauta tel un félin sur le quai

comme si *La Belle Créole* l'ennuyait ferme. Du goudron, il cria :

— Adieu! Profite de ta liberté. Moi, je suis esclave.

Qu'est-ce qu'il voulait dire?

Curieusement, Dieudonné n'en voulait pas à Luc de l'évincer du cœur et du lit de Loraine. En fin de compte, c'était normal qu'elle le lui préfère. Il lui était tellement supérieur : plus beau, plus intelligent, élégant, singularisé par son don créateur. Peu à peu, Dieudonné s'était accoutumé à ses tableaux, y découvrant une beauté secrète. Son préféré était une grisaille, un tableau peint dans les tons de gris, représentant une forme qui pouvait être celle d'une femme vue de dos ou d'un arbre rongé d'épiphytes ou d'un animal de fantaisie. Néanmoins, ces considérations ne l'empêchaient pas de souffrir. De souffrir le martyre.

7

Dieudonné se remit debout, surpris de la couleur brusquement endeuillée du temps.

Il n'avait pas de montre. Était-ce déjà le couvre-feu? Quand il était en prison, chaque soir, des voitures de police déversaient des garçons, des filles aussi, dont le seul crime était d'avoir traîné trop tard par les rues. On les rossait. On les parquait dans des cellules avec les détenus les plus endurcis. Des fois, on les gardait vingt-quatre heures sans leur donner ni à boire ni à manger et on les entendait pleurer à voix haute, appelant leurs mamans comme de petits enfants. Il songea avec une sorte de bonheur que peut-être une patrouille l'arrêterait et qu'il regagnerait le giron perdu. Hélas ! Aucun uniforme à l'horizon. Dans un pareil quartier, la police ne perdait pas son temps à patrouiller : les systèmes de sécurité, les chiens, les vigiles privés la remplaçaient avantageusement. Il reprit sans entrain le chemin de la ville. Au moment de s'engager sur la rocade, ruban de velours noir piqueté par les phares des voitures, il fit marche arrière. La station-service Texaco d'autrefois, jadis palais moderne avec ses lumières, ses « shops » et leurs rayons chargés de bouteilles d'eau minérale, de cartouches de cigarettes et de paquets de chips, était abandonnée, entourée d'une ceinture de barils rouillés. Ironiquement, ses néons rougeoyaient encore proclamant « 24 heures sur 24 ». Sous l'abribus, un vieux-corps, le béret enfoncé sur la laine sale de ses cheveux, s'installait. En réponse à la question de Dieudonné, il eut un rire.

— Boris ? Tu es bien la seule personne à ne pas savoir là où il est. On n'entend que lui à Radio Solèye Lévé, la radio du P.T.C.R.

Dieudonné insista. Comment cela ? Que s'était-il passé ?

— Où étais-tu? fit le vieux, choqué de son ignorance.

Quelques mois plus tôt, raconta le vieux-corps, Boris, à son habitude, avait harcelé des automobilistes faisant le plein d'essence pour leur vendre son dernier recueil. Or, il se trouvait que cette fois-là, ce n'étaient pas des automobilistes ordinaires. Il s'agissait d'une équipe de télévision italienne, venue de Bologne pour tourner un reportage sur le malaise des Caraïbes. Pourquoi les Paradis se gâtent-ils? Pourquoi deviennent-ils des Enfers? Ce S.D.F. peu commun, militant féru de politique, beau parleur qui citait Shakespeare et Neruda — même si c'était avec un mauvais accent — et composait des vers, méritait d'être interviewé. Aussi, ils campèrent leurs caméras devant l'abribus. Au cours des entretiens, Carla, une journaliste très connue chez elle — elle écrivait des articles dans le *Corriere della Sera* —, s'était amourachée de Boris. Elle avait donc laissé Alitalia repartir sans elle. Puis elle avait tiré Boris de là où il était et s'était mise en ménage avec lui. Boris, qui à présent avait une bouche à nourrir, s'était à nouveau attaché autour du cou le collier du travail. Il avait en fin de compte pris la direction de Solèye Lévé, la radio libre du P.T.C.R. que personne n'écoutait. Grâce à lui, elle avait éclipsé Caraïbes-Diffusion, la radio la plus écoutée de la région, célèbre pour ses *Jeux de Midi*. Imaginez!

Un animateur y distribuait des 2 000 et des 3 000 FF à tous ceux qui savaient s'armer d'un bon dictionnaire et répondre à des questions du genre : « Où la Garonne prend-elle sa source ? »

Quelle aubaine pour la cohorte des chômeurs ! À Radio Solèye Lévé, chaque matin, depuis cinq heures, Boris faisait un éditorial. Le midi, il commentait les nouvelles locales et internationales. Le soir, il gratifiait les auditeurs de quelques vers de Neruda, Nicolás Guillén, Césaire, Derek Walcott, des poètes des Amériques, quoi ! Il faut dire à sa décharge qu'il ne lisait jamais sa propre poésie, ce que certains regrettaient. Pudeur ? Dieudonné resta saisi : ainsi, les racontars extravagants de la prison étaient la réalité. Boris était changé. À vrai dire, l'histoire était édifiante. Triomphe de l'homme sur l'adversité. Le poète avait eu raison d'accrocher sa charrue à une étoile, raison de garder foi. Foi dans quoi exactement ? L'avenir ? L'existence ? Lui-même ? En dépit de cette belle leçon d'endurance, Dieudonné se sentait malheureux, oublié, déserté une fois de plus. Le dernier ami qui lui restait lui avait donné dos. Il ravala quelque chose qui avait le goût des larmes, murmurant :

— Est-ce que tu sais là où il habite ?

— Ah là ! Tu m'en demandes trop ! Va te renseigner à Solèye Lévé !

Là-dessus, les yeux de l'homme se mirent à briller comme un couple de bêtes à feu. Il se dégagea à moitié de sa couverture, exhibant ses genoux cagneux.

— Mais, je te reconnais ! Je te regardais, te regardais, en me disant bien que j'avais déjà vu cette tête-là quelque part ! C'est toi, c'est toi qui... !

Dieudonné, effrayé, tourna les talons et se mit à courir, poursuivi par les cris excités du vieux-corps.

8

Ana considéra Werner étalé voluptueusement dans son moïse comme les enfants aiment à le faire.

La journée avait été dure. Elle l'avait promené le long du front de mer. Mais la brise sèche qui soufflait par à-coups poussifs l'avait irrité. Son front était trempé de sueur. Elle avait eu du mal à l'endormir, malgré un bain de feuillage, corossol et marjolaine pressés, recette de sa marraine Eudoxia. Il se plaignait, s'agitait, la tête en feu à croire qu'il s'agissait d'un accès de paludisme. La beauté de son enfant la ravissait. Elle attribuait entièrement cette qualité à son père, n'admettant pas qu'une personne aussi ordinaire qu'elle ait pu créer cette perfection. Elle espérait Dieu-donné. Elle savait que la nuit ne se terminerait pas sans qu'il vienne à elle. Comme la fois d'avant parce qu'il n'avait nulle part où aller. Des bribes de phrases bibliques dansaient dans sa mémoire. Le Fils de l'Homme n'a pas une pierre où reposer sa tête. Elle serait cette pierre, elle refermerait la porte sur lui, Werner et elle le retiendraient prisonnier. À jamais.

Ana habitait le lakou Ferraille au Cadenat, un vieux quartier de pêcheurs, blotti au flanc de Port-Mahault. Des barques somnolaient sur le sable noir, entre les troncs bosselés des amandiers-pays. Chiquant leur tabac, noir lui aussi, les pêcheurs à tête chenue devisaient du pays perdu. Jadis, ah! jadis, cette terre était le paradis. La famille était à l'image de celle du Bon Dieu : Joseph, Marie, Jésus, un âne. On ne connaissait ni serrure ni clé. On vivait portes et fenêtres ouvertes. Un bougre vicieux, c'était un bougre qui chérissait trop le rhum agricole et les femmes. Aujourd'hui, ah, aujourd'hui! Les fils montaient sur leurs mamans. Les pères sur leurs filles. Les frères sur leurs sœurs. On tuait les gens pour un billet de cinquante francs. Personne n'avait plus envie de travailler pour gagner honnêtement son argent.

Les lakous ont pratiquement disparu de nos jours, remplacés par les H.L.M. ou les L.T.S. que les municipalités construisent à tour de bras. Autrefois, ils étaient nombreux dans les quartiers populaires, occupés par des malheureux, qui se tassaient dans une seule pièce, papa, maman, zenfants. Les bourgeois les méprisaient. Pourtant, c'étaient des gens propres et qui généralement respectaient Dieu. Leurs enfants étaient souvent premiers à l'école. À présent, les lakous qui survivaient étaient des repaires de prostitution et de drogue. En particulier, la police avait l'œil sur le lakou Ferraille. Pas seulement à cause d'une bonne douzaine de bòbòs venues de Santo Domingo, scandaleuses et toujours prêtes au tapage. Ni même des dealers, venus de la Dominique, ceux-là, s'activant depuis le pipirite chantant à leur coupable trafic. Elle soupçonnait deux locataires d'appartenir à une bande de braqueurs qui avaient les mains tachées de sang. En un mot, l'endroit était mal famé. Mais Ana qui, avec ses moyens, aurait pu s'offrir n'importe quel autre cadre pour sa vie était tombée amoureuse du feston marine de la mer accroché aux fenêtres, de l'arbre à pain haut, haut, droit comme un poteau mitan de péristyle, de la pomme-liane qui rongeait les façades et des persiennes gaiement peinturées en orange. Près de sept ans plus tôt, elle était arrivée de l'université d'Iowa où elle poursuivait une maîtrise d'ethnologie pour étudier les traditions orales de la Caraïbe. En moins de six mois, elle avait appris le créole. En moins de deux ans, elle avait bouclé sa recherche, car elle avait assisté à tous les lewoz, toutes les veillées, tous les festivals de gwo-ka, tous les Chantez Noël possibles et imaginables. Elle avait enjambé la mer jusqu'à Petite-Terre, jusqu'à Ladiame, îlets-refuges, découvrant très vite qu'elle traquait un pays du rêve et de l'imagination, un pays mythologisé, persistant néanmoins dans sa quête déraisonnable. Au moment de repartir, cependant, elle n'avait pas pu plier bagage. Un je-ne-sais-quoi la retenait. Ensuite, Dieudonné, puis Werner étaient entrés dans son existence et avaient noué serré des amarres qu'elle ne pouvait plus rompre.

Au lakou Ferraille, Ana jouissait d'un statut particulier. Elle était la seule blanche, même si, parmi les bòbòs dominicaines, Eudoxia avait la peau aussi claire que la sienne, et la plus fortunée. Aussi, sa chambre était la plus vaste, la mieux meublée, décorée, fleurie de toutes qualités de plantes en pot, un hamac se balançant sur le balcon. Jusqu'à la naissance de Werner, aux heures de dèche, les bòbòs savaient qu'elles trouveraient chez elle table garnie et bourse ouverte. Il n'était pas jusqu'aux dealers qui les jours de cuite comptaient sur sa provision d'Alka-Seltzer. Ana n'avait jamais mis les pieds à Basse-Pointe, car elle ne voulait pas de cette manière révéler à Dieudonné les conséquences de leur nuit ensemble. Elle s'était bornée à lui envoyer mois après mois des colis : des conserves, sardines à l'huile, miettes de thon, cassoulets en boîte, pour supplémenter le triste ordinaire de la geôle, des Folio qu'il ne lisait sûrement pas, des cigarettes mentholées qu'elle l'avait vu fumer une fois.

La vie d'Ana avait commencé dans le bonheur (comme celle de Dieudonné), puis avait pris un tour vers le deuil et la solitude en 1989 (tout comme lui). Pourtant, quelque chose différait. Pour Ana, ce n'était pas Hugo qui marquait cette année-là. L'année 1989 était celle de la chute du Mur de Berlin. Aujourd'hui encore, on voit des films, on entend des histoires, on lit des récits sur cette grande victoire. LA FIN DU COMMUNISME. Les historiens célèbrent la réunification d'une nation coupée en deux. Aux yeux d'Ana pourtant, quoique née à Berlin, 1989 était simplement l'année où ses parents étaient morts. Son père avait toujours été mal portant, la peau jaunie, le souffle court, le cœur malade. Cet hiver-là, pas plus rude qu'un autre, il avait fini. Du coup, sa mère n'avait plus eu goût à vivre. Sans souci de ses deux fillettes, elle était partie à son tour. Il s'en était suivi des lettres, des coups de téléphone, des conciliabules sans fin dans la famille, à la suite desquels Ana et sa petite sœur avaient été expédiées auprès d'une tante, mariée et émigrée dans l'Iowa depuis vingt ans. Jusqu'alors, Ana ignorait qu'elle adorait Berlin, ses avenues conçues pour les majestueux défilés de chars, ses places l'été, ombreuses comme des forêts, et la solidité de ses immeubles lourds comme des cathédrales. Enfant, on ne se rend pas compte de ces choses-là. Elle s'en était aperçue, une fois transplantée au mitan de ce qui ressemblait à un terrain vague, hérissé çà et là de maisons semblables à s'y tromper, enterré l'hiver sous des pieds de neige, le reste des saisons emprisonné par les blés. Une église rustique, pas de cinéma, un seul drugstore, un McDonald's, un Pizza Hut. Au collège, les enfants des fermiers aux oreilles en feuilles de chou, aux joues couleur de betterave, riaient de son accent. En outre, le mari de la tante buvait son comptant et, une fois saoul, rossait indistinctement sa femme, ses deux filles, ses deux nièces. Les choses ne s'étaient pas améliorées quand elle était partie pour l'université : Amis, une ville sans joie, peureusement repliée sur elle-même. Elle était enfermée dans des études de droit qui convenaient mal à son tempérament quand elle avait fait la connaissance d'un Caribéen, venu, allez savoir pourquoi, étudier l'engineering dans cette université de dixième ordre. Il était aussi perdu qu'elle, aussi esseulé sur le campus et leurs deux solitudes s'étaient confondues. Même si ce bel amour s'était effeuillé à l'automne, il avait verdoyé tout l'été. À cause de lui, elle avait passé du droit à l'ethnologie et s'était mise à étudier l'oralité, les maîtres de la parole, les griots, les tireurs de contes, les contes, les veillées, les tambouyés, les mayolès, les kimbwazè, les doktè fèye, tout ce folklore d'êtres aussi irréels que la tribu du roi des

Aulnes dont sa grand-mère lui contait jadis les aventures.

Elle avait rencontré Dieudonné au Sphinx, une boîte de nuit du Goulet où — une fois n'est pas coutume — elle essayait de prendre du bon temps. Il escortait Rodrigue, et elle Julia, une compatriote de Pittsburgh, une conquête de Rodrigue. Tout de suite, il l'avait attirée à cause de sa réserve, son mutisme, son air de sensibilité. Au long de la soirée, elle s'était enhardie et lui avait signifié par ses regards, ses sourires, qu'il ne la laissait pas indifférente. Mais il était resté lointain, absorbé par la musique et les évolutions des danseurs. En plus, à minuit, il s'était éclipsé à la manière d'une vraie Cendrillon. Dès qu'il avait eu le dos tourné, Rodrigue n'avait pas été avare de détails sur son compte. Il avait raconté par le menu et le détail comment il était passé du jardin au lit d'une richissime békée de la marina. La maison de cette Loraine, c'était une caverne d'Ali Baba. Dans un coffre à la tête du lit, des bijoux en or et en argent, des francs français, des devises ! Hélas ! À cause de ses sentiments, Dieudonné interdisait ce juteux cambriolage. Il affirmait que la tentative échouerait, Loraine dormant un revolver chargé à portée de main. Ana s'enflammait en écoutant cette version tropicale des amours de Lady Chatterley. Du coup, elle s'était mise à fréquenter Rodrigue qu'elle fuyait à cause de ses histoires à n'en plus finir de braquage et de drogue. Et un week-end, elle avait fait la connaissance de *La Belle Créole*. Cette drôle d'idée d'habiter sur un bateau ! Décidément, ce type-là ne faisait rien comme les autres. Il est vrai qu'il n'était jamais là et que, en son absence, Rodrigue se comportait en maître à bord. Nuit après nuit, il réunissait ses amis, dealers, petits voleurs sans spécialité, assassins sans s'en vanter, les poches bourrées d'argent facile, affamés de jolies filles. Au cours de beuveries où les flots de booze ne tarissaient pas, c'était à qui se vantait des tours pendables joués à la police. Ana n'appréciait pas. Pas plus que Boris qui, tranquille comme un iceberg au milieu du désordre des rires et des paroles, tout en ronchonnant que celui qui sème le vent récolte la tempête, griffonnait ses poèmes. C'est ainsi qu'ils devinrent amis. Les premiers temps, étant donné sa misogynie et ses opinions politiques, Boris ne donnait pas le bonjour à l'Américaine. En un rien de temps, Ana l'avait retourné. Qu'un peu de flatterie vous refait son homme ! Il avait suffi qu'elle compare ses poèmes à ceux de Rainer Maria Rilke et de Walt Whitman, ses idoles, qu'elle propose de les traduire en allemand et en anglais pour que Boris se métamorphose. Il écartait d'Ana les bougres trop directs et entreprenants. S'il faisait nuit, il l'escortait jusqu'au lakou Ferraille.

En ce qui concerne Rodrigue, les sombres prédictions de Boris ne tardèrent pas à se réaliser. Quelques jours avant la Noël, la nuit était paisible, le ciel troué d'étoiles autour d'un croissant de lune béat, Boris et Ana bavardaient dans le carré, quand deux voitures de police, hurlant de toute la force de leurs sirènes, avaient déchargé leur cargaison d'hommes en gros bleu au pied du monocoque. Ceux-ci l'avaient envahi, déniché un Rodrigue dégoulinant d'urine, caché à leur insu dans la chambre avant et fait claquer les menottes autour de ses poignets. Deux de ses complices s'étaient déjà mis à table : il était le meurtrier d'un des vigiles du Millénium. Dans leur furie, les policiers manquèrent embarquer Boris. Heureusement, l'un d'entre eux, qui avait des lettres, le reconnut d'après la photo de couverture d'un de ses livres.

Ce fut le lendemain de cette triste soirée qu'Ana se trouva nez à nez avec celui qu'elle n'espérait plus. Il était assis tel un endeuillé, le dos contre la bôme, et la salua, visiblement sans la reconnaître. Depuis des semaines, elle avait eu le temps de méditer son attaque :

— Un bateau qui ne va pas sur la mer, c'est aussi triste qu'un oiseau qui ne vole pas.

Il acquiesça :

— Ce n'est pas l'envie qui me manque de larguer les amarres. Mais il est resté tellement longtemps à quai que je me demande dans quel état sont les voiles. J'ai peur qu'elles se déchirent dès qu'on essaiera de les hisser. En plus, les enrouleurs sont foutus. La V.H.F. aussi.

Sans transition, il se mit à décrire *La Belle Créole* dans sa splendeur d'antan. Les croisières, les crépuscules rougissant les vagues, le chapelet des îles, sa favorite, Saint-Barth, écale plantée au mitan de l'azur. Et elle comprit que, pour lui aussi, le bonheur s'ancrait dans le temps jamais retrouvé de l'enfance. Dès le lendemain, elle courut à nouveau sur le quai. Comme la veille, il était assis sur le pont au pied de la grand-voile aussi amorphe qu'un zombi, la mine défaite, souffrant visiblement l'enfer. Elle parvint à l'entraîner vers une pizzeria graisseuse dont le décor singeait celui des fast-foods américains. Soudain, repoussant sa Quatre-Saisons, il la vrilla de ses yeux opaques, et s'exclama d'un ton de douleur indicible :

— Elle ne me regarde pas plus qu'un cacachien !

— Qui ça ?

Pour toute réponse, il s'effondra sur la table. Ana n'avait jamais vu pleurer un garçon. Loin de le mépriser pour cette faiblesse, elle étendit la main et ses doigts s'emmêlèrent dans une tignasse noire et drue, taillée à grands coups de ciseaux. Il se secoua, refusant la caresse, se leva et, à pas désordonnés, dévala la rue décorée des lampions de la fête. Elle renonça à le suivre.

La Noël était là et pourtant, personne n'avait

le cœur en joie. Depuis un mois, les hommes du P.T.C.R. étaient en grève, bloquant Port-Mahault et Ferry. Conséquence, le champagne, le saumon, le foie gras, ces petites gâteries auxquelles les autochtones avaient grand goût, étaient introuvables et certains intellectuels pourtant de gauche jugeaient Benjy moins sympathique. En plus des grèves, la violence champignonnait. Un soir, un commando cagoulé était entré dans un restaurant du Goulet et avait raflé les bijoux, les portefeuilles des dîneurs. Un autre soir, une bande de malfrats à visage découvert en avait fait autant dans une boîte de disco. Personne n'osait plus se rendre au cinéma-théâtre l'Alhambra, où pourtant se donnait un film avec Denzel Washington, de peur de se faire blesser et de voir voler sa voiture.

Curieusement, Ana revit Dieudonné très vite, deux jours plus tard, à l'occasion du réveillon. Elle avait invité au lakou Ferraille ses compatriotes américains et Boris qui, pensait-elle, devait se sentir bien seul dans son abribus. Tant qu'elle vivait en Iowa, Ana s'était voulue étrangère aux États-Unis, pièce rapportée parmi les pièces rapportées. Elle avait appris le français, ensuite le créole, idiome d'un peuple dominé pour se désolidariser de l'anglais qui l'avait agressée quand elle était enfant. Pourtant, il avait suffi qu'elle aborde à ce pays pour découvrir à quel monde elle appartenait en fin de compte. Ce n'était pas la calotte obscure des ciels d'hiver qui lui manquait, la froidure, ou l'été, l'exubérance des champs de blé. Il s'agissait d'autre chose. Désormais, sa peau l'habillait, aussi voyante qu'un uniforme. Des références qu'elle ne pouvait partager tapissaient son être. Elle qui avait vécu son adolescence peu entourée, jamais dauphine du cortège de la Miss University, voilà qu'elle affolait les mâles du seul fait de sa blondeur. Or, cette métamorphose, loin de la combler, la terrifiait. Telle une mousse transplantée dans le plein soleil, elle avait la nostalgie de l'ombrage et de l'humidité. En un mot, tout la faisait étrangère. En même temps, elle ne pouvait se décider à partir.

Malgré les événements de Port-Mahault, l'humeur du lakou était festive. Les dealers faisaient la trêve et fumaient un inoffensif tabac blond. Les bòbòs avaient planté un sapin enrubanné de toutes couleurs de guirlandes au mitan de la cour. Quotidiennement, avant de partir à l'abattage, elles chantaient les cantiques du temps de l'Avent. Ce jour de Noël où, par prudence, les curés célébraient la messe non plus à minuit mais à cinq heures de l'après-midi, voilées, mantillées, elles s'étaient toutes rendues à la cathédrale Saint-Jean-de-Obispo sous la conduite d'Eudoxia. Elles s'étaient confessées, avaient communié, marchant en corps vers la Table Sainte. À présent, Eudoxia enchaînait sur sa Sharp dernier cri des C.D. de la Natividad et toutes reprenaient les refrains en chœur. Leurs voix, étrangement enfantines, accrochaient des grelots d'argent à la nuit. Ana avait été bien obligée de renoncer à la dinde, aux marrons, aux airelles pour du boudin, des ignames de la Dominique et de la daube de cochon. Son pays n'était pas tout à fait absent. Dans une tarte, une de ses amies avait remplacé le potiron par du giraumon. Quand Boris s'amena suivi de Dieudonné, sa surprise et sa joie furent telles que tout son sang, en tumulte, afflua vers son cœur, puis s'en retira brutalement, la laissant inerte et glacée. Dieudonné n'était ni plus gai ni plus causant qu'à l'accoutumée. Il s'était assis près de la porte, le visage tourné vers le dehors, comme s'il prêtait l'oreille au désordre des bòbòs. Inévitablement, la conversation roula sur Rodrigue que l'on savait voleur, mais que l'on découvrait meurtrier. Dans quels sales draps il s'était mis ! Le matin, la foule avait manifesté devant le commissariat central, demandant pour lui un châtiment exemplaire. Le vigile assassiné était un papa de trois enfants, sa femme enceinte gros ventre du quatrième. Les Américains s'offusquaient. Passe que les trottoirs de New York, Chicago, Los Angeles soient rouges de sang. Mais ceux de ce pays, paradis sur terre, peuplé d'êtres tendres, généreux et naïfs ! Et ils invoquaient le mauvais exemple des séries, des sitcoms et des films made in U.S.A. Boris, lui, haussait les épaules et entamait une fois de plus le procès des politiciens. Seul, Dieudonné restait étranger à cette polémique. Bientôt, il se plaignit de maux de tête, et alla s'étendre sur le divan-lit.

— Qu'est-ce qu'il a ? chuchota une des filles.

— À cause d'une femme... Sa maîtresse, expliqua Boris. Elle ne veut plus de lui.

Tous se tournèrent vers cette forme que l'amour consumait. Ana, les autres filles étaient envieuses. Quelle magicienne avait su allumer ce boucan ? Pourquoi en gardait-elle le secret ? Le réveillon fut animé. Au moment de la tarte, Boris récita ses poèmes dans un silence admiratif. Quelqu'un hasarda qu'il était vraiment l'héritier des maîtres de l'oralité. Boris se rengorgea davantage quand Ana le compara à Walt Whitman ! Vers quatre heures du matin, on se sépara le cœur content. À présent, les bòbòs gorgées d'alcool oubliaient la sainteté de la nuit et se chamaillaient. Ana ferma grosses portes et fenêtres. Puis, elle se dévêtit et s'allongea contre Dieudonné. Boris avait vainement tenté de le réveiller et l'avait laissé là où il était, pareil à un gisant. D'abord, il la prit convulsivement dans ses bras. Puis, il ouvrit les yeux, reconnut sa méprise, et se tourna contre la cloison.

Ana fondit en larmes.

Quand elle se réveilla dans le grand jour, le lit à côté d'elle était vide.

On peut dire qu'Ana attendait l'amour comme la terre en carême attend la pluie. Depuis l'âge de douze ans, pour sa sœur, pour ses compagnes de classe de l'Iowa, le sexe n'avait plus de mystère. Or ils lui répugnaient, les adolescents boutonneux qui les chevauchaient sur des sièges arrière de voitures. Elle se refusait à ces commerces sans grandeur. Elle n'ignorait pas que les mâles, à présent bourdonnant à l'entour d'elle comme des vons-vons, ne se souciaient pas de son intérieur. Ils s'arrêtaient à l'arrondi de ses seins, à la cambrure de ses fesses. Seul, Dieudonné lui semblait en mesure de transformer ses jours. Pourquoi lui ? Il avait près de sept ans de moins qu'elle. Qu'importe ! L'âge est une commodité qui ne se marchande plus. Le temps est passé où les mariages livraient des adolescentes à des vieux-corps. Obstinée, le soir même, elle repartit à *La Belle Créole*.

Au bout de son quai, la silhouette du bateau s'enveloppait d'une pelisse de nuit. L'eau était glauque, sans reflets. À gauche, le phare du Goulet rougeoyait pareil à un œil crevé au milieu d'une flaque de sang. Quand elle alluma la lumière dans la cuisine, un rat et des cafards se débandèrent. L'évier débordait d'assiettes sales. L'odeur de poubelle prenait aux narines. Où était Dieudonné ? Où le chercher ?

Lasse d'attendre, elle retourna chez elle sous la pluie. Il n'était pas prudent pour une femme

— surtout pour une femme blanche — de s'aventurer dans les rues à pareille heure. *France-
Caraïbe* repaissait ses lecteurs de récits de vols et
de viols. On avait retrouvé les corps de deux touristes affreusement mutilés au Trois-Chemins-
Dugazon. Ana n'avait pas de temps pour ces
peurs-là. Elle voyait sa vie marcher devant elle,
traînant les pieds dans ses haillons. Quand la
lumière de l'amour la transfigurerait-elle?

C'est quelques jours plus tard que l'incroyable
se produisit. Joud'lan avait fait son entrée. Elle
n'aimait pas cette nouvelle année qui ne lui
apportait ni gui l'an neuf, ni mandarine riche en
pépins, ni robe à pois de chance. Un matin, elle
paressait dans son lit. Elle venait de quitter sa
mère, l'appartement sombre et frais de la Joa-
chim Fiedrich Strasse où, lovée sur le vieux divan
que l'âge avait affaissé, elle avait tourné les pages
d'un livre de contes. Brutaux, des coups l'avaient
fait sursauter. Poussant les portes, elle s'était
trouvée face à Dieudonné. Inattendue, sa silhouette se détachait sur le fond de jour laiteux
sous la calebasse blanchâtre du ciel. Dans sa surprise, elle avait bégayé :

— Toi? Toi?

— Laisse-moi entrer, avait-il commandé.

Elle avait obéi et les portes s'étaient refermées
sur eux, les emprisonnant dans un boyau
d'ombre. Elle n'avait pas osé faire un geste vers la
lampe de chevet et ils étaient restés un long

moment sans bouger, sans se parler, presque sans se voir. Puis, elle l'avait interrogé :

— Tu veux quelque chose ?

Il n'avait pas eu l'air de l'entendre et elle avait ajouté, songeant dans le fond de son cœur qu'elle posait là une question stupide :

— De l'eau ? Du Coca-Cola ? Un café ?

Comme il ne répondait toujours pas, elle avait allumé la lumière et l'avait inspecté des pieds à la tête. Naïvement, elle l'avait imaginé les habits en désordre, couvert de sang, marqué par quelque forfait. Non, il était pareil à lui-même, mis comme à l'habitude d'une sorte de combinaison de cosmonaute. Sa figure n'exprimait aucune émotion. Ses yeux n'étaient pas plus insondables, ni secrets qu'à l'habitude. Il demanda :

— Est-ce que je peux rester chez toi ?

Elle répondit, la voix chavirée de toute la passion qu'il lui inspirait et dont il n'avait visiblement cure :

— Autant que tu veux. Si tu es venu auprès de moi, c'est que tu as confiance. Ne me dis que ce que tu veux me dire.

Il ne lui avait rien dit.

Ce furent les radios, la télévision, *France-Caraïbe*, les commentaires excités des bòbòs qui l'informèrent. La police de l'île tout entière recherchait le jardinier de Loraine Féréol de Brémont.

Pourtant, Dieudonné resta quatre jours et

quatre nuits chez elle, sans se cacher, comme s'il ne craignait rien. Chaque matin, il nouait une serviette-éponge autour des reins et de son torse nu, musculeux alors qu'elle le croyait fragile, il marchait à la douche commune, une cahute de feuilles de tôle rafistolées sous un carré de ciel. Et elle se pâmait à l'imaginer, couvert de mousse de savon, passant et repassant la main sur ce qu'elle désirait si fort. Après quoi, il s'habillait et s'asseyait pour la journée entière devant la télévision. Tout lui était bon : dessins animés, documentaires, sitcoms, thrillers, tables rondes, journaux d'information, débats sur la marche du siècle. Elle se doutait qu'il fixait ces images en aveugle, enfermé dans ses obsessions. Il ne lui prêtait aucune attention et, invisible, elle le servait avant de se glisser dehors acheter à boire, à manger, fiévreuse, angoissée, comme la maman d'un nouveau-né malade, le cœur battant la chamade devant une voiture de police patrouillant ce quartier chaud ou un inoffensif agent réglant la circulation. Du coup, les bòbòs qui ne lui avaient jamais connu d'hommes croyaient flairer sur elle l'odeur fade du sperme et la traitaient avec respect. Elles n'entraient plus chez elle sans frapper à n'importe quelle heure pour lui emprunter une tasse de riz, un verre d'huile ou un billet de cent francs dont elle ne revoyait jamais la couleur. Eudoxia surtout était satisfaite, elle qui avait la conviction, après tant d'années de métier, que si les hommes ne valent rien, la solitude est pire encore pour les femmes. Les bòbòs ignoraient qu'en réalité Ana vivait la torture. Avoir celui qu'elle adorait si près, à portée de caresse, respirer son odeur, prendre sommeil non loin de lui sans que rien ne se produise.

La quatrième nuit, alors qu'elle ne l'espérait plus, il fit l'amour avec elle.

Le lendemain, elle dormait dans la plénitude de son corps — enfin rassasié —, quand il se rendit au commissariat du Cadenat. Et elle comprit que cette étreinte de la dernière heure avait été son adieu à la liberté, au bonheur, à la paix, à tout ce qu'il avait tellement désiré et que l'existence ne lui avait jamais accordé.

Un mois plus tard, elle ne vit pas son sang.

Brusquement, Werner s'éveilla dans un grand cri comme toujours à la même heure. Elle se hâta d'accomplir les gestes magiques : ouvrir son corsage, tendre son sein. Repu, il lui sourit de sa bouche édentée, gigota, plissa de bonheur ses yeux noirs, tellement pareils à ceux de son père. Elle le prit contre elle, le serra éperdument :

— Mon petit prince hindou, murmura-t-elle. Papa, papa est revenu.

La nuit

9

— Comment m'as-tu trouvé?

— Ça n'a pas été difficile. J'ai été à la Radio Solèye Lévé. J'ai demandé où tu habitais.

— On t'a reconnu?

— Je ne sais pas... Oui. Peut-être.

Boris était contrarié et le cachait mal. Il inspectait les alentours. En apparence, rien à signaler. Le ciel noir courait bas sur les toits. La cité des Grands Hommes était située dans un quartier populeux, mosaïque d'immeubles de trois étages ou de modestes villas semblables à s'y tromper, derrière leurs jardinets d'hibiscus, bougainvillées, crotons, où chacun était trop occupé à survivre pour jeter les yeux sur ce que faisait le voisin. Ainsi, il fallait profiter des dernières heures d'électricité avant que la noirceur s'installe, souveraine, impénétrable. En hâte, les femmes faisaient main basse sur ce qui restait à la supérette. Sur un terrain de sport de fortune, esquivant de leur mieux les tas de détritus, des gamins shootaient dans des ballons. Les très rares personnes à posséder des groupes électrogènes se précipitaient chez elles pour regarder C.N.N. Au moment où il frappait son coup de maître, Boris devait éviter d'être associé à un repris de justice ! En même temps, son amitié lui refluait au cœur comme une marée d'eau douce. Il avait oublié comment Dieudonné était jeunot, amaigri, rendu plus vulnérable par ses dix-huit mois à l'ombre. Il fit plus doucement :

— Écoute, Benjy et moi sommes en réunion avec les camarades. Tu vas m'attendre dans la chambre d'amis...

Il ajouta, un peu honteux :

— Ne te montre pas, ça vaut mieux.

Il s'écarta, ouvrit la barrière qu'il avait gardée fermée et, d'un coup de pied, il écarta Prince, son chien bâtard créole qui rôdait par là. Si Dieudonné s'attendait à un accueil plus chaleureux, il ne montra pas sa déception. Dans le couloir étroit coupant la villa en deux, l'un suivant l'autre, ils faillirent entrer dans la panse de Benjy qui, sortant des toilettes, refermait sa braguette. Reconnaissant Dieudonné, il le dévisagea avec curiosité. Mais l'autre, indifférent, ne lui prêta pas plus d'attention qu'à un inconnu. Pourtant, il n'aurait pu oublier Benjy dont on gardait les traits en mémoire une fois qu'on les avait considérés. Imaginez un nègre bâti comme une pièce d'Inde du temps-longtemps, avec sous un crâne rasé un masque qui n'aurait pas déparé un empereur romain. Des journalistes en mal de copie l'appelaient César Auguste, surnom qui ne convenait pas du tout à son caractère. C'était au fond un homme doux, hésitant et timoré. Il poussa Boris du coude :

— Je me souviens de sa bonne tête, tu sais. Il n'a pas l'air de ce qu'il est.

Boris répliqua moqueusement :

— Qu'est-ce qu'il est ? Serbulon l'a assez répété, c'est une victime.

Puis, il s'en voulut de son sarcasme.

Autour d'eux, les discussions piétinaient. Non sans mal, Boris avait convaincu Benjy de commettre une action historique. Il devait rencontrer sans tarder les leaders du P.P.R.P., leur proposer une fusion avec le P.T.C.R. afin de former un nouveau parti, le P.P.S.N. qui, grossi de la force des syndicalistes, entraînerait le pays vers lendépendans. Du nord au sud de l'île, les esprits étaient mûrs et n'attendaient que cela. Le P.P.R.P. n'avait pas rejeté l'offre d'une rencontre. Pourtant, dès le début de la réunion, il fut visible que sa délégation composée de quinquagénaires endurcis, déserteurs de la guerre d'Algérie, ex-locataires des quartiers de haute sécurité de Fresnes, n'éprouvait que mépris pour Benjy et ses troupes. Elle était conduite par

un de ses fondateurs, Roméo Serrutin, professeur de droit constitutionnel à la fac que tout le
monde appelait « le Vieux », à l'africaine. Roméo
Serrutin faisait son intéressant. Il avait commo-
dément oublié qu'à deux ans de sa retraite des
femmes de ménage l'avaient surpris avec une
étudiante, engagé sur le plancher de son bureau
dans une action dont la nature ne faisait aucun
doute. À l'époque, il s'était vanté que cela
témoignait de sa virilité. Pour l'heure, il faisait
une moue sévère : de quoi ces jeunots du
P.T.C.R. pouvaient-ils se vanter ? D'avoir organisé des grèves sans but clairement défini et, par
conséquent, sans efficacité, qui n'avaient fait
qu'indisposer la population ! Ils étaient si peu
sûrs d'eux qu'ils n'avaient pas osé la grève générale, coup de semonce le plus dur pour le patronat. Si on arrivait enfin à haler le pays de
l'ornière où il était enlisé, nul ne devrait ignorer
que c'était, en premier, grâce aux efforts de ceux
du P.P.R.P.

La porte s'ouvrit. L'Ange Carla, comme Boris
l'avait surnommée, car elle aimait à porter du
velours bleu et, avec son friselis de cheveux
blonds, était le portrait du Gabriel d'une
Annonce faite à Marie dont, mécréant, il ne
savait plus le nom, entra. Elle apportait des can-
nettes de Coca-Cola, chose miraculeuse, des
glaçons et des sandwiches au jambon cru/
gruyère. Certains dinosaures du P.P.R.P. eurent

bien envie de lui signifier qu'elle se moquait d'eux et réclamer des boissons plus viriles, des C.R.S. par exemple, citron, rhum, sucre, quelque chose les retint. Les gestes de Carla étaient si gracieux que, dans ses mains de prestidigitatrice, les serviettes en papier se changeaient en pigeons ramiers, tourterelles et lapins blancs. À chaque fois que Boris regardait cette compagne que le Bon Dieu lui avait envoyée pour transfigurer le désert de sa vie, il n'en revenait pas de son bonheur. Il se rappelait sa stupeur quand il avait compris que cette journaliste de talent était amoureuse et, à cause de lui, envisageait de s'établir dans un petit pays convulsif et perdu. Il pouvait donc encore séduire ? Lui qui ne possédait rien ? Lui, presque vieux-corps avec ses cinquante ans, son début d'arthrose et son corps avachi ? Depuis qu'il vivait avec Carla, sa douceur, sa constante admiration avaient ranimé les battements de son cœur. Elle avait déjà traduit ses poèmes en italien et les avait envoyés par Fed Ex aux Éditions Lavoro de Milan. Il ne lui restait pour atteindre le septième ciel de la perfection qu'à apprendre le créole, ce qui ferait taire les grincheux. Signe que le Bon Dieu bénissait leur union, un fruit maturait dans ses entrailles et son ventre s'arrondissait comme une calebasse. Du coup, Boris, nullement gêné de se contredire, reniait les couplets misogynes qu'il avait tenus à la suite de sa mésaventure conjugale. Oui, c'est la tradition, c'est Zobel qui disent la vérité : une femme fait monter un bougre au ciel, ou bien le précipite au fin fond de l'enfer. La galère, c'est que les femmes modernes, poto mitan du temps-longtemps, jadis à la fois mamans et servantes pour leurs nèg, tigresses pour leur marmaille, avaient oublié les vertus ancestrales. La libération leur était montée à la tête comme un vin frelaté. Elles ne se souciaient plus que de carrière, ou de profit matériel.

Quand on eut dévoré les sandwiches, Roméo Serrutin fit observer qu'il était près de dix heures, c'est-à-dire que, dans quelques minutes, la fée électricité allait prendre congé des habitants de la cité des Grands Hommes. Elle allait s'envoler à l'autre bout de la ville et illuminer, d'un coup de sa baguette magique, la cité Fleurie où il habitait. Il proposa donc que tout le monde s'y retrouve dans une heure. En vérité, et c'était cousu de fil blanc, ce n'était qu'un prétexte, une manière de ramener le débat sur le terrain du P.P.R.P. Quand Benjy et Boris se retrouvèrent seuls, Boris proposa :

— Si nous l'envoyions à Cuba ?

— À Cuba ? Quelle idée ! grogna Benjy qui avait déjà la tête à autre chose.

Boris s'arma de patience et lui expliqua du ton dont il aurait entretenu un enfant :

— Les Cubains nous prennent trois jeunes en

formation d'agents de santé. Deux autres, en formation agricole. Il était jardinier, ça pourrait lui convenir.

Comme Benjy semblait peu convaincu, Boris lui exposa en détail le bien-fondé d'une telle opération. Ce n'était pas seulement l'avenir de Dieudonné qui trouverait une solution satisfaisante. Ce serait une publicité de première pour le P.T.C.R. s'il prenait en main ce garçon, qui aux yeux du pays avait frôlé la perdition, et le remodelait en jeunesse socialiste! Du coup, il marquerait des points sur tous les syndicats et partis rivaux.

Benjy continuait d'hésiter quand, sans crier gare, l'électricité s'en alla.

Boris alluma en vitesse un camping-gaz et, suivi du pas traînant de Benjy, rejoignit Dieudonné. Celui-ci était immobile et semblait flotter dans le lac d'ombre qui clapotait aux coins et recoins de la pièce. Boris prit place à côté de lui et, avec sa faconde coutumière, se mit en demeure de le séduire. Tout y passa. Les barbudos, la sierra Maestra, la révolution victorieuse, l'amitié de Fidel et du Che, avatars d'Achille et Patrocle, leurs divergences politiques, le départ du Che, son dernier combat dans la Quebrada du Churo et de La Higuera au fin fond du sud de la Bolivie, sa liquidation. Il s'apitoya sur le moment où le plus illustre citoyen de la grande patrie latino-américaine était tombé sous la rafale d'un vulgaire sergent, ivre de chicha. Dieudonné ne sembla que moyennement intéressé par ce récit. Quand Boris se tut, il déclara :

— J'aurais préféré la Jamaïque !

Boris ne se laissa pas démonter :

— Mais non ! La Jamaïque, c'est comme chez nous. Pis encore : violence et drogue. Ce qu'il te faut, c'est de l'ordre, de la discipline et, surtout, apprendre un métier.

Dieudonné interrogea, mais sa voix plate ne trahissait pas le moindre enthousiasme :

— Quand devrai-je partir ?

Boris regarda Benjy, qui ne disait rien, l'air ennuyé et affirma :

— Très vite. Nous nous occuperons de tes papiers pour toi.

Sans un mot de remerciement, Dieudonné l'interrogea :

— Je peux dormir ici ?

Boris acquiesça sans entrain.

Les deux hommes revinrent vers la salle de séjour et Benjy répéta comme s'il ne savait pas dire autre chose :

— Je me rappelais qu'il avait l'air d'un bon bougre !

Au fond de lui-même, Benjy était troublé. Toujours sur les conseils de Boris, il n'avait pas informé le comité directeur du P.T.C.R. de sa rencontre avec le P.P.R.P. et il se demandait s'il ne commettait pas un abus de pouvoir. Et puis, il trouvait que, malgré leurs cinquante ans d'échecs et de revers, les dinosaures du P.P.R.P. n'avaient pas appris l'humilité. Ils se posaient en donneurs de leçons et croyaient détenir la vérité. Ils faisaient semblant d'ignorer que lendépendans faisait peur à tout le monde dans le pays. Lui-même, une interrogation ne le lâchait pas : lendépendans, à quoi bon ? Si on y abordait à cette Desirada, le soleil se lèverait toujours d'un même côté du monde. On compterait toujours des malheureux, toujours des nantis, des bienheureux et des maudits, des mains pleines et des mains vides. Le cortège des démunis ferait toujours la queue à la porte du bonheur, attendant en vain qu'elle s'entrouvre. Chacun veut changer le monde. Le monde ne change pas. Incrédule, il entendait Boris ressasser ses arguments. Cette fusion serait une chance. Grâce à elle, on galvaniserait le camp patriotique et on ranimerait la flamme des années passées.

Boris raccompagna Benjy à sa voiture et prêta l'oreille aux doléances des vigiles retenant avec peine leurs molosses à carrure de veau. La veille encore, un commando avait voulu s'attaquer à cette supérette, aux rayons pourtant bien dégarnis. Qu'espérait-il ? Plus un commerçant ne gardait un sou dans les tiroirs-caisses. Bon Dyé, comment cela finirait-il ? Autour d'eux, le quartier était devenu une béance de noirceur, chacun barricadé de son mieux avec ses peurs. Dans les rues, dans les jardinets, pas un signe de vie. Rien ne bougeait ; à part les chiens se disputant les rares bons morceaux des poubelles ou les chats délurés courant vaille que vaille à leurs amours. Boris songea à rejoindre Dieudonné, y renonça. Le lendemain, il serait toujours temps de lui servir une homélie sur le sens de la vie, les vertus du travail et l'avenir du socialisme. Il fallait d'abord calmer Carla arrivée maintenant à son terme, la persuader qu'il ne rentrerait pas de sitôt. La réunion avec le P.P.R.P. était de la plus haute importance. L'Ange Carla ne dormait pas. Elle avait allumé une bougie et était assise sur son lit, les mains crispées nerveusement à hauteur de son ventre. Un moment, il crut qu'elle ressentait les premières douleurs. Elle secoua la tête, puis l'interrogea dans son français appliqué :

— Tu ne vas pas me laisser seule avec lui, en pleine nuit ?

Il haussa les épaules et demanda avec légèreté :

— De quoi est-ce que tu as peur ?

Sans répondre directement à sa question, elle s'insurgea :

— Pourquoi ne va-t-il pas coucher ailleurs ? Chez sa mère !

— Serbulon n'a pas cessé de le rappeler, il n'a pas de mère.

128

— Sa grand-mère alors !

Pour la pacifier, il tenta de l'enlacer, mais elle s'y refusa, martelant grandiloquente :

— Écoute, Boris, c'est lui ou moi. S'il reste ici, c'est moi qui m'en vais.

Il commit l'erreur de pouffer, moqueur malgré lui :

— Où iras-tu, s'il te plaît ?

Alors, elle éclata en sanglots brûlants, pitoyables, qui trahissaient sa peur, mais surtout un malaise plus profond qui, soudain, lui était révélé, un sentiment de solitude, d'abandon dans ce pays perdu, où personne ne lui ressemblait. Il fut atterré. Il la croyait heureuse, bien transplantée, à l'aise dans son milieu. Il comprenait que tout cela n'était qu'apparence, faux-semblant. Au bout de quelques instants, ses pleurs de plus en plus rauques, de plus en plus désespérés ne lui laissèrent pas de choix. Il se leva.

Dieudonné n'avait toujours pas bougé, immobile dans le noir. Boris éleva la bougie au-dessus de sa tête, tout en bafouillant des excuses où il était question du caractère des femmes, surtout si elles étaient enceintes. Eh oui ! Ce sexe est faible, pusillanime même. D'abord, Dieudonné le fixa comme s'il ne le comprenait pas, de ses yeux sans fond. Puis, une lueur de rage les incendia qui fit peur à Boris. À savoir si le garçon n'était pas armé ? Il se trompait, la lueur s'éteignit aussi vite qu'elle s'était allumée. Dieudonné se leva, se dirigea vers le salon, ouvrit la porte d'entrée, fut avalé par la gueule ouverte de la bête de nuit.

Honteux, Boris revint vers la chambre où Carla tendait l'oreille. Malgré son halo de cheveux frisés, ses yeux bleus, elle ne lui parut plus Ange pour un sou. Il l'apostropha :

— Il est parti. Tu es contente à présent? À cause de toi, je l'ai mis dehors comme un chien. Comme un chien.

Il sortit en claquant la porte.

C'était leur première brouille.

10

Au clair de la lune, mon ami Pierrot,
Prête-moi ta plume pour écrire un mot!

La nuit vomit son encre de Chine à gros bouillons. La mangrove est une jablesse, une sorcière à tête grenée qui fait cuire et recuire ses poisons d'ouabaïne. Sa case se cache dans un entremêlement de mangles et de palétuviers. C'est là qu'elle médite ses forfaits. Au devant-jour, des bracelets de serpents d'eau enroulés autour de ses chevilles, et des sangsues en pendants d'oreille, elle sort dehors pour jeter ses sorts et alors, les morts ne se comptent pas.

130

C'est toute une trâlée d'ossements, blancs comme les cailloux du Petit Poucet qui s'allonge derrière elle.

Qui veut voir ma lanterne des magies pour deux noix ?

Dieudonné avait peur et, pour se donner du cœur, se répétait ces comptines. Un de ses premiers souvenirs remontait à un 24 décembre, il avait cinq ans. Marine avait chanté Noël avec le chœur des voisins, voisines, et puis elle était descendue à l'église Sainte-Hyacinthe pour assister à la messe de Minuit, le laissant seul couché dans sa kabann. Vers la demie, il s'était réveillé, étonné d'être allongé sur ce radeau à la dérive dans la noirceur, privé du corps protecteur qui s'étendait toujours à côté de lui. À grand-peine, il avait mis pied à terre et avait parcouru l'immensité de la case. Dans l'autre pièce, Marine avait pris soin de laisser la veilleuse allumée. Hélas, la mèche vorace avait bu l'huile et, accourue du dehors, la bête de la nuit avait rampé, rampé sous la porte. Elle était entrée en dedans. Elle avait avalé les chaises, la table, la desserte, dévoré les images pieuses sur les murs. Elle cernait, menaçait de toutes parts. Terrifié, Dieudonné était remonté sur le lit où Marine l'avait retrouvé, une heure plus tard, pareil à un naufragé sur son île, hurlant de toute la force de ses poumons. Elle avait mis des jours et des jours à se remettre, serrant son bien-aimé à l'étouffer contre sa poitrine et répétant :

— Bon Dyé, Bon Dyé, de peur, mon enfant aurait pu mourir !

Pas une voiture roulant sur le morceau d'autoroute. Il se mit à courir et ses pas résonnèrent dans le silence. Il n'en voulait pas à Boris et n'était pas fâché contre lui, ayant compris tout de suite que ce n'était plus l'homme qu'il avait connu. Le poète en haillons, coiffé de dreadlocks qu'il avait été, n'avait rien de commun avec ce type, le crâne rasé coco sec façon Benjy, engoncé dans une vareuse de coupe militaire. Le nouveau Boris avait même poussé un bedon. Triste que de finir sa vie en politicien !

La rancune, la colère ! Généralement, le cœur de Dieudonné ne connaissait pas ce genre de sentiments. Une fois seulement, il s'était livré à un acte de violence et voyez le résultat ! Dans le secret de son cœur, Dieudonné revécut cette histoire qu'il n'avait jamais confiée à personne. C'était l'avant-veille de Noël. Depuis deux jours, Loraine avait abandonné son ordinateur et, à l'ancienne mode, griffonnait des adresses au dos d'enveloppes. Mille autres signes, conversations au téléphone avec des traiteurs, ballet de camionnettes livrant des fleurs, du linge de table, des verres, de la vaisselle, Amabelle qui faisait des heures supplémentaires, lui

132

avaient annoncé que Loraine préparait somptueusement le réveillon. Était-ce en l'honneur de Luc qu'elle, qui ne fréquentait personne, bouleversait ses habitudes ? Un matin alors qu'il emplissait d'essence le réservoir de la tondeuse, Loraine l'avait approché. Évitant de le regarder, elle lui avait tendu une poignée de billets.

— Voilà pour toi !

Sans comprendre, il s'était relevé. Alors, agitant les billets de banque, elle avait marmonné à sa manière confuse des paroles rapides, incompréhensibles. Comme il ne comprenait toujours pas et restait debout devant elle, elle avait articulé plus clairement, avec exaspération :

— Ne fais pas ces yeux de coulirous frits. C'est Noël pour tout le monde. Je te donne quelques jours de congé. Va t'amuser.

Où cela ? Où voulait-elle qu'il aille ? Il avait bégayé qu'elle le savait bien, il n'avait pas de parents qui se soucient de lui, pas d'amis et, par conséquent, nulle part où aller. Alors, elle s'était mise à hurler avec fureur comme si ses paroles, la forçant à mesurer sa propre cruauté, l'enrageaient :

— Je m'en fous. En tout cas, disparais. Demain, la semaine prochaine, je ne veux pas te voir par ici.

La porte avait claqué derrière elle. Ulcéré, Dieudonné s'était esssuyé les mains et allongé sur la banquette du garage. À deux heures de l'après-midi, la chaleur était suffocante. Des rayons de soleil dansaient, passant par les interstices de la tôle. Pourtant, il tremblait comme s'il avait froid. C'était ainsi qu'elle le récompensait. Il s'était efforcé d'être discret. Il avait gardé sa peine et sa jalousie au fond de son cœur, il ne lui avait adressé aucun reproche, s'échinant dans le jardin comme si de rien n'était. La veille, il avait planté pour elle des alamandas bleus, si rares à acclimater. Malgré cela, elle le jetait dehors ainsi qu'un chien. Avait-il mérité qu'elle le maltraite pareillement ? Des larmes roulèrent sur ses joues. Seule, Loraine avait le génie de lui mettre les yeux en eau. Alors qu'il n'avait pas pleuré le départ des Cohen quand le Boeing 747 s'était rapetissé au-dessus de la mer. Ni la mort de Marine quand il s'était retrouvé orphelin, sans papa ni maman.

Brusquement, Luc s'était glissé dans le garage. La grâce de ses mouvements, celle d'un danseur de ballet, surprenait. En même temps, elle inquiétait parce que, on le sentait, elle cachait une force redoutable, comme celle de certains judokas, qui n'attendait qu'une occasion de se manifester. Luc s'était assis sur le bord du lit, l'air à la fois tendre et amusé. Avec un mouchoir Lotus, il avait essuyé les joues de Dieudonné, murmurant :

— Un grand garçon comme toi, tu ne vas pas pleurer à cause de cette vieille salope !

Dieudonné douta de ce qu'il entendait et resta coi. Luc l'effleura de nouveau avec son mouchoir :

— J'aimerais bien avoir ta chance et recevoir mon congé. Hélas ! Il faudra que je reste là et que je performe ! Que je performe ! Tu sais bien que cette nymphomane n'en a jamais assez !

Dieudonné était saisi, pétrifié. Quand Luc s'allongea à côté de lui, il commença par reculer comme au contact d'un reptile. L'autre noua ses mains derrière sa tête, déclarant :

— Les blancs nous ont toujours eus, depuis l'esclavage. Et ce n'est pas fini. Aujourd'hui encore, les hommes volent notre sueur, notre force pour s'enrichir. Les femmes, notre virilité pour jouir. Des fois, je m'imagine que je finis avec elle. Je m'imagine que ses cris de plaisir sont des râles et que je m'éveillerai libre comme l'air — enfin. Hélas, le jour se lève. J'ouvre les yeux, je m'aperçois qu'elle est là.

Un silence se fit pendant lequel Dieudonné entendit la cavalcade de son cœur. Puis, Luc reprit sur un ton bien différent :

— Si tu veux me joindre, tu me trouveras à « Fifth Avenue », tous les soirs, à partir de minuit. Tu sais où c'est ?

Dieudonné fit oui de la tête.

Luc insista avec une sorte de gravité :

— Tu viendras ? Il ne faut pas rester seul, comme ça. Je te présenterai à des copains, des jeunes, des gens de ton âge. Un type comme toi, tu mérites mieux que la vie que tu as. D'abord, tu dois te donner un peu de bon temps.

Dieudonné fut bouleversé. Personne ne lui avait jamais dit qu'il « méritait » quoi que ce soit. Tandis que son cœur s'enflammait de gratitude, Luc roula sur lui-même et posa ses lèvres, légères, contre son cou. Stupéfait, il ne bougea pas. Enhardi sans doute par ce manque de réaction qui pouvait signifier ce qu'on voulait, la main de Luc le caressa, s'aventura.

Du temps qu'ils vivaient sur le morne Lafleur, Marine et Dieudonné habitaient non loin d'un homme aux allures efféminées qui, au carnaval, se déguisait en libellule. Pour cette raison, le voisinage l'avait surnommé Mamzel Marie. Il était ébéniste et, en plus de ses meubles, il taillait dans le bois des figurines, cheval, bœuf à bosse, cabri, âne qu'il distribuait à certains enfants. Marine avait fait jurer à Dieudonné que jamais, au grand jamais, il ne s'approcherait de Mamzel Marie, jamais, au grand jamais, il ne prendrait quelque chose de ses mains. Un jour, il jouait dans le dalot quand Mamzel Marie s'avança vers lui, doucereux, souriant :

— Bel, bel ti moun ! Vini vwè sa an ni pou-w.

Sans hésitation, Dieudonné lui emboîta le pas.

L'atelier de Mamzel Marie fleurait bon la boulangerie quand le pain sort du four, chaud et craquant. Le plancher en était jonché de copeaux à ressorts tombés de sa varlope, blonds, bouclés, élastiques. Ils entrèrent dans la maison, coquettement meublée, divisée en deux pièces par un rideau d'indienne à fleurs jaunes. Sur la table, sur la desserte, partout, étaient disposés des quantités d'animaux, des ménageries au complet. Et aussi des avions roulant sur leur train d'atterrissage, des cabrouets à deux roues, des bicyclettes de course à guidon incurvé, des automobiles équipées de rétroviseurs. Certaines de ces miniatures étaient peintes ; d'autres seulement polies, ou vernissées. Charmé, Dieudonné tendit sa menotte vers un avion. Mamzel Marie secoua la tête et souffla :

— Non, non, non ! C'est donnant donnant. Je te donne ce que tu as envie. Tu me donnes ce que j'ai envie.

Dieudonné s'était laissé faire. Deux jours plus tard, il était revenu chercher un autre avion. Puis une autre fois, une bicyclette de course. À quelque temps de là, le quartier était entré en ébullition : les gendarmes avaient enfermé Mamzel Marie à la geôle parce qu'il sodomisait les petits garçons. Quels petits garçons ? Qui l'avait dénoncé ? Dès lors, Dieudonné avait vécu dans la panique que les gendarmes ne l'arrêtent à son tour.

La main de Luc, insidieuse, hardie, rameuta ces souvenirs enfouis au plus profond de la

honte et du secret, ces souvenirs qu'il ne ramenait jamais, au grand jamais au jour : sa déso-
béissance, ces actes inqualifiables, le plaisir qu'il
y avait pris. Un flot de sang lui monta au cerveau, brouilla sa vue, embrasa son corps. Il saisit
Luc à la gorge, tomba par terre avec lui, se mit
en demeure de lui fracasser le crâne sur le béton.
Et c'était comme si, avec des années de retard, il
se défendait ainsi qu'il aurait dû le faire contre
Mamzel Marie, détruisait l'horreur de ce qui
avait été. Au vacarme, Amabelle et Loraine sortirent en courant qui de la cuisine où l'une finissait sa vaisselle, qui de la chambre à coucher où
l'autre entamait sa sieste. Loraine ne fit ni une
ni deux. Elle s'empara d'un outil de jardinage,
une fourche, qui gisait dans le coin du garage et,
prenant son créole, hurla :

— Lagéye, lagéye. Si ou pa lagéye, an kaï
tchyoué-w !

Comme un chien que retient la voix de son
maître, Dieudonné obéit. Il laissa aller Luc. Les
deux garçons se relevèrent d'un bond, Luc nullement gêné, portant les mains à son cou, avec
sur les lèvres un sourire imperceptible qui défiait
Dieudonné de révéler l'accord passé entre eux
au mépris des apparences. Loraine agita dange-
reusement la fourche. Elle était hors d'elle. Sa
figure était devenue un masque sauvage où brûlaient des yeux noircis par la rage :

— Fous-moi le camp. Ne remets plus les

pieds ici. Si jamais je te vois dans les parages, j'appelle la police, tu m'entends?

Il voulut protester. Seul sortit de sa bouche un cri, plutôt une plainte, risible, pathétique. Il se précipita au-dehors. Une Mercedes rouge qui fonçait dans la rue déserte faillit le renverser.

11

Avant de se rendre chez Roméo Serrutin, Benjy décida de marcher jusqu'à sa maison dans l'obscurité bienheureusement rafraîchie par les récentes averses. Il n'arrêtait pas de songer à Dieudonné. Du temps qu'il fréquentait l'abribus de Boris, il n'avait jamais prêté beaucoup d'attention à ce jeunot taciturne qui, d'ailleurs, tournait les talons dès qu'il apparaissait. Pourtant, curieusement, quand à la une des journaux était apparue sa figure, à la fois secrète et naïve, il s'était senti interpellé. À quoi rimaient ses discours grandiloquents, ses actions souvent violentes? Pendant qu'avec Boris il se vantait de régénérer le pays, un être humain qu'il côtoyait journellement se perdait. Non seulement, il ne lui avait pas tendu une main secourable quand il l'aurait fallu, plus grave, il avait été insensible, indifférent à la passion qu'il vivait. Au fil des semaines, il avait fini par reléguer ces encombrants sentiments de culpabilité dans un recoin de sa mémoire. Or voilà, ce soir, qu'ils resurgissaient à la vue de Dieudonné et le possédaient entièrement. Il comprenait que cet acquittement n'était pas une solution. Loin de là. Il ne faisait qu'ouvrir la porte d'un angoissant futur. Qui aiderait Dieudonné à reprendre sa vie en main ? La proposition de Boris de l'envoyer à Cuba au compte du P.T.C.R. le choquait, car il y lisait du cynisme, de l'opportunisme.

La villa de Benjy était à deux pas de celle de Boris, à l'angle d'une rue récemment rebaptisée Cheikh-Anta-Diop. Elle se distinguait parce qu'un pin caraïbe s'y dressait de toute sa hauteur dans le jardin, parce qu'elle était gardée par un couple de dobermans au pelage soyeux et funèbre. Et surtout parce que, seule dans le quartier, elle brillait comme l'astre solaire. Pour ne rien vous cacher, Benjy comptait parmi les bienheureux qui possédaient un groupe électrogène. Cela faisait beaucoup jaser à la cité des Grands Hommes. Quoi ! Le secrétaire-général du syndicat qui orchestrait les grèves d'électricité se mettait à l'abri de la noirceur avec sa famille ! Ses chiens n'étaient pas d'ordinaires bêtes locales, bâtards nés d'on ne sait quels accouplements, mais ressemblaient à ceux que les bourgeois commandent sur catalogue aux chenils des pays du Nord. Ces signes-là ne trompent pas : il fallait se méfier. Si, à Dieu ne plaise, on donnait le pouvoir à cet homme-là et ses pareils, ils seraient plus mauvais que les blancs. Ils accoucheraient de mille Papa Doc, Baby Doc, Titide et la situation serait pire qu'en Haïti ! En réalité, à part les trois caractéristiques que nous avons mentionnées, la villa de Benjy était aussi petite et banale que les autres, son intérieur aussi modeste. Dans la minuscule cuisine, Inis, sa femme, achevait de dîner avec leurs trois garçons.

— Déjà ? s'écria-t-elle quand il poussa la porte.

Benjy embrassa ses enfants qu'il n'avait pas vus depuis la veille ou l'avant-veille ou l'avant-avant-veille et qui l'accueillaient boudeurs, ainsi qu'un intrus, venant troubler leur tête-à-tête avec leur mère, puis corrigea sans entrain :

— Non, la réunion a été interrompue par les coupures. À présent, nous avons rendez-vous chez le vieux Roméo. On y passera sûrement la nuit.

Elle ne dit rien. Il savait ce que signifiait son silence. Inis était la bonne amie d'Ixaura, l'ancienne femme de Boris qui tenait ce dernier en piètre estime. Non à cause de la qualité de ses vers, elle ne les avait jamais vraiment lus et ne connaissait rien à la poésie. Parce qu'elle l'accusait d'être un mégalo qui avait grand goût du pouvoir. Ses conseils étaient funestes. Sous son influence, Benjy allait trop loin. Cette réunion qui se tenait chez Boris à l'insu du comité

directeur du P.T.C.R. avait des allures de coup
de force et n'aurait jamais dû avoir lieu. Elle fit
mine d'ajouter un couvert et il lui fit signe que
c'était inutile, songeant à part lui qu'elle était
encore bien belle dans la maturité de ses qua-
rante-deux ans, qu'ils n'avaient pas fait l'amour
depuis des mois, eux qui dans le temps faisaient
l'amour trois fois par jour et la nuit en prime. Ils
n'avaient pas partagé un repas depuis des
semaines. Quand tout cela serait fini, il l'emmè-
nerait passer une semaine parmi les fleurs et les
parfums de l'île Margarita, au large du Vene-
zuela, sans enfants; luxe, calme, volupté. Rien
qu'eux deux comme autrefois. Mais quand cela
serait-il fini ? Et puis, que signifiait ce mot « fini » ?
Devait-il se comparer à un révolutionnaire qui
espère la tabula rasa finale de la révolution ?

— Papa !

La voix fluette de Kevin, son dernier fils qu'il
sentait toujours secrètement hostile, le tira de
ses réflexions. L'enfant le fixa dans les yeux :

— Est-ce que c'est vrai que tu iras rôtir en
enfer au milieu des damnés ?

Cachant mal leur joie devant cette insolence,
les autres enfants retinrent leur souffle. Benjy
demanda simplement :

— Qui t'a raconté cette bêtise-là ?

Kevin protesta :

— Ce n'est pas une bêtise. C'est la maîtresse
qui l'a dit en classe.

D'abord, Benjy resta sans voix tandis que Kevin en profitait pour enjoliver son récit. D'après la maîtresse, Benjy faisait tant de mal au pays, à ses habitants, aux enfants qui par sa faute manquaient de lait, aux mamans des enfants, que le Bon Dieu le punirait sûrement. Benjy le savait, il était le Diable incarné aux yeux des bourgeois et des petits-bourgeois qui ne comprenaient pas la mansuétude du gouvernement à son égard. Pourtant, il ne pensait pas qu'on le calomnierait aux yeux de son propre enfant. Quand même, il s'efforça de sourire :

— D'abord, l'enfer, ça n'existe pas.

Les aînés, abandonnant leur rôle de spectateurs, se joignirent à Kevin. Ensemble, les trois garçons protestèrent vivement :

— Bien sûr, cela existe !

Élevés par leur mère, élèves d'un externat religieux qu'elle avait choisi, ils croyaient à tout ce bric-à-brac catholique, les saints, les anges, le purgatoire, le feu éternel, que Benjy faisait profession de mépriser. Si une religion l'attirait, quant à lui, c'était l'islam qu'il s'imaginait austère, dépouillé, avec ses boubous flottants, ses cinq prières ponctuant la journée, son jeûne, son pèlerinage à La Mecque.

La sonnerie du téléphone interrompit cet échange qui ressemblait à un dialogue de sourds. C'était José Merlot, le secrétaire général adjoint du P.T.C.R. José Merlot souffrait depuis

des années de migraines et de rages de dent
chroniques qu'il avait vainement tenté de soigner en faisant le tour des hôpitaux et des doktè
fèye. Cela ne lui arrangeait pas le caractère. Au
téléphone, sa voix était plus coupante que
jamais. Est-ce vrai ce qu'il avait entendu ? Benjy
avait passé un accord avec le P.P.R.P. ? Au nom
de qui ? De quel droit ? Benjy essaya de s'expliquer. L'autre hurlait et ne l'écoutait pas. Pour
finir, il annonça sa venue sur-le-champ avec les
membres du comité directeur au grand complet.

— À pareille heure ? s'étonna Benjy.

— La situation l'exige, répondit José, mélo-
dramatique.

Il raccrocha. Benjy s'efforçant à la légèreté se
tourna vers Inis :

— Ça promet. Ils débarquent tous ici. Je vais
me faire du café. Je sens que j'en aurai le plus
grand besoin.

En guise de réponse, elle lui tendit sa joue et
quitta la pièce, poussant devant elle les enfants
ravis d'avoir tenu leur père en échec. En fait,
prévoyant ce qui allait suivre, elle avait du mal à
cacher sa satisfaction. Celui qu'elle avait épousé
quelque quinze ans plus tôt était un bougre
casanier, cachant son feu sous des airs de père
tranquille, au lit à forniquer avec elle depuis dix
heures du soir. Puis, Boris aidant, la mouche du
syndicalisme l'avait piqué. Son maître à penser
lui avait soufflé ses belles idées : les centrales

d'Europe ne comprennent rien de rien aux problèmes des colonisés. Il s'était donc mis en tête de créer un syndicat local unifié. Dès lors, le père tranquille s'était métamorphosé en père comète. Il ne restait plus en place. Elle ne le voyait plus de la nuit. Il parcourait le pays du nord au sud, de l'est à l'ouest, ne négligeant pas les lieux-dits et les fonds les plus reculés pour y semer le grain de la contestation. Ses fils naissaient, grandissaient, sa femme se fanait, son papa mourait, sa maman s'asseyait dans un fauteuil roulant, sans qu'il s'en aperçoive. Seul comptait le P.T.C.R. Autour d'elle, les familles accompagnaient leurs enfants à Orlando, les couples s'en allaient siroter des mojitos à La Havane. D'autres encore s'embarquaient pour des croisières dans les Caraïbes. Tout cela allait-il bientôt devenir son lot ? Quand elle eut enfin couché ses garçons — ils la suppliaient, voulant encore jouer avec leur play-station —, elle se retira dans la chambre conjugale où elle passait la plupart de ses nuits, en jeune fille. Afin de lutter contre un sentiment de solitude, la télévision y était en permanence allumée et, pour l'heure, un speaker, ancien négropolitain à en juger par la manière dont il faisait sonner ses r, donnait le dernier bulletin d'informations. C'est ainsi qu'elle apprit l'acquittement de Dieudonné. D'abord, elle ne sut que penser. Comme tous les habitants du pays, elle s'était

145

passionnée pour ce fait divers, dévorant chaque jour son *France-Caraïbe*. Un matin, même, elle s'était rendue au palais de justice. Mais l'affluence l'avait fait reculer. Sans adopter l'équation manichéiste de Serbulon, à l'évidence ses sympathies penchaient vers Dieudonné. Il aurait pu être un de ses petits frères ou, à Dieu ne plaise, un de ses fils qui aurait mal tourné. En même temps, Loraine était femme et quoique békée, à ce titre, elle s'inscrivait dans l'interminable liste des victimes de la toute-puissance mâle. Femmes battues, femmes violées, femmes trompées. On pouvait donc mettre à mort une femme et poursuivre sa vie, les mains libres. Elle suffoqua devant tant d'injustice. Malgré tout, son intuition lui soufflait que la vie qu'on rendait à Dieudonné ne valait peut-être pas la peine d'être vécue et qu'avant longtemps, on entendrait parler de lui.

Pendant ce temps, resté seul, Benjy avalait mélancoliquement tasses sur tasses de sang de taureau, comme on appelait ce café si fort qu'il tache et laisse une bordure endeuillée, indélébile sur la faïence. Puis il sortit sur la galerie pour attendre ses camarades. Aucun jambage de feu ne flamboyait dans le ciel, pointillé d'inoffensifs nuages de pluie qui bientôt crèveraient pour rafraîchir enfin Port-Mahault. Aucune comète ne traversait l'air. Bref, aucun signe n'était manifeste. Le Bon Dieu ne prenait pas la parole en cette nuit très ordinaire, pareille aux autres. Pourtant, Benjy savait que tout allait bientôt changer. Depuis quelque temps, c'était plainte sur plainte de la base. Elle s'était battue, de bonne foi, avec ténacité, pour des augmentations de salaire, des améliorations de sa condition. À présent, elle ne comprenait plus dans quelle voie son timonier voulait l'entraîner. Sans les piquets dont une poignée d'enragés entouraient les entreprises, il y a longtemps que les employés auraient repris le chemin du travail. Cette réunion extraordinaire, par un vote extraordinaire, allait le démettre de ses fonctions. Au petit matin, Port-Mahault, et tous les habitants du pays, l'haleine fétide, mal réveillés de leurs suées et de leurs peurs nocturnes, apprendraient le nom d'un nouveau secrétaire général. Peu à peu, les mots d'ordre de grèves seraient annulés, les barrages sur les routes levés, les patrons séquestrés rendus à la liberté et les nantis souffleraient un grand « ouf » : « Un coup pour rien. Nous l'avons échappé belle. Ce n'est pas encore pour cette fois lendépendans. »

À la vérité, au fond de lui-même, il se sentait soulagé. Il n'avait jamais pu briser l'emprise que Boris exerçait sur lui depuis l'enfance. Mais il en avait assez d'être poussé sur un chemin cahotant qui ne menait nulle part.

Benjy avait commencé sa carrière comme un instituteur intérimaire des plus mal notés. À

Fauconier, une commune déshéritée de Haute-Terre, à deux pas des Bains-Jaunes dont on respirait tout le jour les odeurs de soufre, il avait la charge d'une école à classe unique. Ses élèves, trop pauvres pour le luxe d'un déjeuner à la cantine, se remplissaient le ventre à coups de mangots. À force de cheminer sous le soleil, leurs crânes se recouvraient d'une calotte de laine rougeâtre tandis que des reflets bleus coulaient le long de leurs joues. Benjy n'osait pas les ennuyer en leur faisant réciter les fables de La Fontaine ou chercher le carré de l'hypoténuse. Il préférait les divertir avec les aventures de Corto Maltese. Aussi, au Certificat d'études primaires, on comptait si peu de réussite à Fauconier qu'une année un représentant du ministère de l'Éducation nationale était monté dans ces hauteurs tourmentées afin de vérifier ce qui s'y passait. Ce fonctionnaire au regard bleu, aux joues rouges, aux paupières bordées de même couleur avait considéré de haut ce bitako, à peine plus présentable que ses élèves, lui avait posé quelques questions et, devant ses réponses confuses, embarrassées, avait signé un tel rapport que le malheureux Benjy avait été expédié à Marjanne. Marjanne était un îlot pierreux à un jet de pierres de la côte septentrionale du pays, où chacun redoutait d'être affecté. Là, les cabris étaient plus studieux que les enfants. Fatigué d'attendre en vain l'écolier dans sa salle de classe vide, Benjy s'était réfugié dans l'office de Gaston Ferbois qui fabriquait toute la tuyauterie, toute la robinetterie dont on avait besoin à Marjanne. En un rien de temps, il s'était initié à un nouveau métier : la plomberie. Dans nos sociétés modernes, les plombiers sont fort en demande. Bien plus que les poètes ou les romanciers ! De retour à Port-Mahault, il avait été chargé d'équiper les H.L.M. et les L.T.S. que la municipalité construisait à tour de bras. Son ascension était amorcée.

On raconte que le maire de Port-Mahault fut particulièrement ulcéré quand Benjy organisa la grève des services municipaux qui frappa si fort la capitale et mit sa réélection en péril. Il aimait ce garçon travailleur et courageux, qui, d'instituteur, col blanc, était devenu ouvrier, sans col, trajectoire qui réjouissait son cœur de communiste car il était membre de plein droit du parti communiste, régulier en France à la Fête de l'Huma. En plus, il l'avait beaucoup favorisé, car un temps il tournait autour d'une de ses filles et il se voyait déjà beau-père de ce prolétaire modèle. Cela se passait avant qu'il ne rencontre Inis à un mariage et ne tombe en amour d'elle en dansant la javanaise.

Vers dix heures et demie, les membres du comité directeur du P.C.T.R. poussèrent la barrière de la villa. Prudemment, Benjy avait mis ses dobermans à la chaîne. Cependant, il ne put empêcher ces créatures indociles d'aboyer comme des furies, de se dresser sur les arcs de leurs pattes de derrière, bref, de mener un sabbat d'enfer et d'indisposer davantage encore les arrivants. Conduits par José Merlot, la face torturée, raide comme la justice, les huit membres du P.T.C.R. s'avançaient à la queue leu leu vu l'exiguïté de l'allée, tous graves et déterminés, comme au jour du Jugement dernier.

Peu de choses transpirèrent de cette réunion.

Ce qui est certain, c'est que le bureau força Benjy à téléphoner lui-même au maire de Port-Mahault, au P.-D.G. de la Compagnie d'électricité, aux directeurs de mille autres services et compagnies pour les informer que le P.T.C.R. acceptait leurs dernières propositions et que, au matin, des protocoles d'accord seraient signés. Il s'écorcha la bouche à indiquer le nom de son successeur : José Merlot, son fidèle second depuis des années.

Cela accompli, Benjy et José Merlot qui, à vrai dire, ne se haïssaient pas, parlèrent, comme à l'habitude, des migraines et des rages de dent de José avant de siroter deux tasses de sang de taureau. José alla jusqu'à complimenter Benjy sur la qualité du breuvage.

— Je n'arrive jamais à rien de bon avec leurs satanées cafetières électriques ! se plaignit-il.

— C'est que moi, expliqua Benjy, j'utilise une vieille grège qui me vient de ma mère.

Ah ! le bon vieux temps ! Et ces deux hommes qui prétendaient piloter le pays vers l'avenir se rejoignirent dans le panégyrique du passé et des traditions.

12

Depuis un bon moment, des chiens le poursuivaient avec des jappements. D'où sortaient-ils ? Sûrement des profondeurs de la mangrove. Dieudonné entendant leur galop et leur respiration haletante derrière lui savait que c'étaient des Esprits tout droit sortis de l'enfer. Il se voyait déjà en lambeaux, le corps déchiqueté quand les phares d'un bolide les effrayèrent et les forcèrent à s'égailler dans l'obscurité. À force de courir comme un dératé, Dieudonné avait rejoint Port-Mahault, dominée par l'odeur de ses ordures. On aurait cru qu'un cimetière s'était ouvert et crachait sa charogne. Cette puanteur se mêlait au parfum plus lointain de la mer pour composer une atmosphère âcre, malsaine qui prenait à la gorge. À droite, à l'entrée de la ville, s'étendait un terrain où dans le bon vieux temps, quand les gens avaient encore la tête à l'amour et des ailes aux talons, se donnaient des concerts de zouk ou de compas. Le Guadeloupéen Kassav y avait fait danser, l'Haïtien Tabou Combo aussi. À présent, il était livré

à la fantaisie des saisons. L'hivernage le trans-
formait en marécage. Le carême y faisait pousser
des cactus-cierges, hauts comme des adolescents. En toutes saisons, les chiens y faisaient
leurs cacas et les crottes cuites et recuites par le
soleil dégageaient une exhalaison particulière.
Dieudonné s'engagea là-dedans sans trop savoir
vers quoi il se dirigeait. Au bout de quelques
minutes, ses pieds butèrent dans l'ombre et il
tomba de toute sa hauteur sur la terre dure,
rocailleuse. Alors, des formes silencieuses,
féroces, surgirent de tous les coins. Des chiens ?
Non, cette fois, plutôt des hyènes, reconnais-
sables à leurs ricanements. Elles fondirent sur lui
et, de tout près, elles se changèrent et il distingua
des formes humaines. Des mains expertes le pal-
pèrent, le déplumèrent en un rien de temps, de
ses pauvres biens. Des cigarettes mentholées,
une boîte d'allumettes, un canif, un portemonnaie contenant quelques photos en guise de
billets de banque. À la conclusion de cette
fouille, une voix juvénile s'exclama, dépitée :

— Hac ! Le salaud n'a pas hac sur lui !

Pour l'en punir, quelqu'un lui décocha un
coup de pied. Douleur fulgurante. Une autre le
frappa en pleine figure. Douleur plus violente
encore. Il gémit :

— Les bougres, laissez-moi tranquille ! Je suis
sorti de la geôle ce matin. Je suis pauvre comme
Job. Je n'ai rien de rien.

Une autre forme s'approcha, lui planta brutalement une torche sous le nez. D'abord, il battit des paupières, aveuglé. Ensuite, dans le rond de lumière, se dessina un visage enfantin, mais brutal, le front mordu par une casquette de base-ball. L'inconnu ricana :

— Tu sors de la geôle? Nous, on n'y est pas encore entrés. Mets-nous au parfum. Comment ça se passe là-dedans? On dit que c'est un vrai panier de makoumè. Qui es-tu d'abord?

Dieudonné, pour la première fois, éprouva à se nommer un sentiment qui ressemblait à l'orgueil : cette bande de gamins qui détroussait et brutalisait les imprudents passants nocturnes, pouvait-elle se comparer à lui? Il déclara avec une emphase involontaire :

— Je suis Dieudonné Sabrina.

Qu'attendait-il? Son interlocuteur, nullement ébranlé, lui administra une gifle en pleine figure, avant de prendre son élan et de lui lancer son pied dans le ventre. Dieudonné tomba à la renverse tandis que les hyènes s'acharnaient bruyamment, comme sur le cadavre d'une gazelle impala tombée dans la brousse. Il perdit connaissance.

Le temps passa.

Quand il rouvrit les yeux, l'entour commença par chavirer et il crut tournoyer sur un manège. Une musique de chouval-bwa valsa dans ses oreilles. Puis le monde retrouva son silence, son assise. Les hyènes avaient détalé. Au-dessus de sa tête, la lune et les étoiles accrochaient des parures de chrysocale aux ténèbres. Le clocher de la cathédrale Saint-Jean-de-Obispo carillonna dix heures. À ce moment, Dieudonné s'aperçut qu'il n'était pas seul. Une forme était assise à côté de lui. Une voix fluette l'interrogea :

— Est-ce que tu peux marcher ?

Un goût de sang dans la bouche. Il se palpa : des contusions partout. Il grimaça :

— Je peux essayer.

Manquant de crier de douleur, il se mit debout, vacilla, tint bon. Oui. C'était bien d'une fille qu'il s'agissait. Elle avait allumé sa torche et, dans sa lueur, elle apparaissait, garçon manqué, affublée d'une paire de jeans et d'une chemise de base-ball, marquée « Yankees » à hauteur de poche, les pieds chaussés de splendides Doc Marteen's. Sur le diadème des cheveux en friche, ses joues avaient l'arrondi des pommes-calebasses. Elle ne pouvait pas avoir plus de quatorze, quinze ans. Elle se présenta :

— Mon nom, c'est Dorisca. Je ne suis pas d'ici. Je suis haïtienne. Ma famille vient de Jérémie.

Depuis qu'il avait perdu Rébecca Cohen, Dieudonné avait toujours rêvé d'une petite sœur. Enfant, il épiait le ventre de Marine. Désespérément plat et pour cause. Sa mère, il le savait, ne faisait pas l'amour. Pourtant, au lieu d'apprécier cette chasteté, il aurait souhaité la voir constamment engrossée par un homme ou un autre, comme toutes les mamans. Inattendu, Dorisca faisait renaître en lui la nostalgie enfouie et il s'offusqua :

— Tu es folle d'être dehors toute seule à une heure pareille!

Elle haussa les épaules :

— J'aime la nuit. J'ai toujours aimé la nuit. C'est parce que je suis née à onze heures du soir. Quand j'étais bébé, je confondais le jour pour la nuit. Je dormais, je dormais. Je me réveillais vers huit heures du soir et je commençais à pleurer pour le sein de ma maman. Et puis, je ne cours aucun danger. Par ici, tout le monde me connaît. Personne ne me touchera. Tu sais, ceux qui t'ont attaqué ne sont pas si mauvais. Ce sont les Léopards, une bande du collège des Droits-de-l'Homme. Ils n'ont pas de bons parents, c'est tout.

Elle enchaîna très vite :

— C'est comme toi. Tu n'as pas de bons parents. Pourquoi tu as fait ça?

Celle-là au moins savait qui il était. Il fut la proie de ce sentiment qui, à chaque fois, le renfermait sur lui-même et il murmura :

— Ne me demande pas.

Elle n'insista pas, lui offrit son bras et il avança à petits pas, accroché à son corps gracile.

Au fur et à mesure qu'ils se rapprochaient des quais, les puanteurs s'estompaient. Bientôt, ils entendirent le rire de gorge de la mer, sa voix de femelle qui se livre exagérément au plaisir et les coups du vent paillard, dominateur qui la cravachait. Le geôlier de la nuit relâchait son escorte. Le fond du ciel perçait entre les nuages, la couleur de l'air s'éclaircissait. De l'autre côté de la baie, on distinguait Petite-Anse, ramassée sur elle-même avec ses maisons et son clocher, pareille à un fauve qui va bondir. On aurait cru un tableau à la grandeur de la nature. Un peintre s'était plu aux variations d'une même teinte. Noir pailleté des rares étoiles du ciel. Noir opaque de la chaîne de montagnes de Haute-Terre. Noir moins soutenu de l'étendue marine. Ils s'assirent sur un banc de la promenade Victor-Hugo entre les buissons d'alamandas et les palmiers royaux et la brise de mer s'accrocha à leurs figures. L'odeur du large submergea Dieudonné de sa nostalgie :

— Autrefois, murmura-t-il, j'habitais sur un bateau.

— Je sais, fit-elle, *La Belle Créole*. On l'a écrit dans *France-Caraïbe*. Il y avait même sa photo dans le journal.

Il réalisa une fois de plus que sa vie ne lui appartenait plus. Elle traînait dans les médias. Il songea qu'il n'avait pas pensé à aller saluer le monocoque, refuge des mauvais jours, des jours de solitude, et son ingratitude lui fit mal. Pour se racheter, il se tourna vers Dorisca :

— Un jour, je t'emmènerai faire connaissance avec lui. Autrefois, c'était un voilier magnifique. Presque chaque week-end, nous partions en mer. Mon papa Cohen me prenait pour son skipper et me laissait à la barre des heures entières. Parfois même la nuit. Je me guidais sur les étoiles. Je les connaissais toutes par leur nom. La Grande Ourse, le Petit Terrier...

Elle eut une moue :

— Pour moi, la mer est une traîtresse. Elle a coulé tellement d'Haïtiens qui fuyaient le pays sur toutes qualités de canots, de radeaux pour aller aux États-Unis d'Amérique. En 1985, c'était avant ma naissance, le frère de mon papa est mort au large de la Floride avec sa femme et ses trois enfants. Les Américains les ont forcés à sauter dans l'eau et à se noyer.

Dieudonné répéta atterré :

— Forcer des gens à se noyer ? Comment c'est possible ?

— Tu ne connais pas les Américains, fit-elle avec autorité. Ce sont les plus mauvais de tous les blancs.

Alors pourquoi risquait-on la mort pour vivre dans leur pays ? Dieudonné retint cette question. En plus, toute conversation au sujet des « blancs » le remplissait de malaise, mettant en question son attachement d'enfant pour des

« blancs », les Cohen et surtout son amour pour une « blanche », Loraine. Peut-être collectivement fallait-il les haïr, et individuellement avait-on le droit de les chérir ? Peut-être collectivement formaient-ils une armée de prédateurs, piétinant, dévorant sans relâche ceux qui avaient le malheur de se trouver sur leur chemin tandis qu'individuellement ils laissaient fleurir dans leur cœur les simples sentiments des humains, amour, pitié, respect ? En une de ces volte-face coutumières au temps, de grosses bouffées de vent, chargées d'humidité, commencèrent brusquement à souffler. Le noir de la nuit s'épaissit. Dorisca se mit debout en vitesse :

— Allons chez moi, ordonna-t-elle. La pluie vient, et puis tu as besoin qu'on te soigne.

Il hésita et elle fit, rassurante :

— Chez moi, il n'y a que ma ninnaine et moi. Les tontons macoutes ont tué mon papa et ma maman quand j'étais toute petite. Alors, ma ninnaine m'a prise avec elle. Nous sommes venus ici quand j'avais six ans. Le mari de ma ninnaine est mort il y a trois Noëls. On l'a empoisonné à distance.

Peut-on empoisonner à distance ? Dorisca baissa la voix et fit tristement :

— Depuis qu'il est parti, ma ninnaine passe les journées à l'attendre en priant. Il vient la voir chaque minuit. Elle ne te remarquera même pas dans la maison.

Il se remit debout avec peine. Ils longèrent interminablement les façades aveugles des cités d'H.L.M., remontèrent le boulevard de la Victoire. Soudain, les lumières brillèrent aux fenêtres. À tue-tête, sans se soucier des voisins, un nostalgique écoutait la rengaine d'Isolina Carillo, à chaque fois aussi émouvante, qui labourait jusqu'au fond des tripes, rameutant les rêves et les désirs éteints :

> *Dos gardenias para ti*
> *Con ellas quiero decir :*
> *Te quiero, te adoro, mi vida*
> *Ponle toda tu atención*
> *Porque son tu corazón y el mío*

À un angle de rues, un bar était ouvert, rempli d'audacieux plus soucieux du bon goût de leur rhum agricole que de leur sécurité. Toutefois, passé cet îlot brillant comme un diamant, on recommençait de barboter jusqu'aux genoux dans la noirceur.

Dorisca habitait un quartier surnommé Petit-Paradis, rénovation de l'ex-Cuisine-de-l'Enfer, un bidonville qui longtemps avait fait la honte de Port-Mahault. La municipalité était très fière de ses piazzas, de ses balcons, de ses loggias, de toute une architecture tape-à-l'œil conçue par un Portoricain qui avait fait ses classes à New York et, le matin de l'inauguration, le maire avait prononcé un discours emberlificoté pour vanter l'unité de la Région Caraïbe. Personne ne pouvait prévoir que, en moins de deux ans, cette réalisation tant vantée deviendrait un des hauts refuges de la coke et du crime. Les lycéennes se rendant à côté, à la cité scolaire Alexandre-Dumas, recommandaient leur âme et, les rares fois où besoin était, leur virginité au Bon Dieu. Dorisca mit un doigt sur sa bouche et brandit une clé nouée d'une ficelle attachée autour de ses reins :

— Ma ninnaine ne dort jamais. Comme je t'ai dit, c'est la nuit qu'elle voit son mari. À cause de cela, elle ne peut pas retourner à Haïti, parce que ça veut dire le laisser tout seul ici.

Ils entrèrent. Dans le living-room qui sentait l'encens, une veilleuse tenait le poids de l'ombre en échec. La pièce, déjà exiguë, était encombrée de meubles trop lourds : berceuses, fauteuils, chaises, tables hautes, tables basses décorées de vases de fleurs artificielles posés sur des napperons au crochet. Les murs étaient pareillement encombrés, tapissés de reproductions, de photographies : photos de deux enfants identiques, quoique de sexe différent, garçon et fille, nus sur une couverture ; plus âgés, assis côte à côte dans de petits fauteuils ; grandelets, le garçonnet en costume cravate, la fillette des nœuds dans les cheveux. Des bougies à demi éteintes exhalaient des tire-bouchons de fumée, devant celle d'un homme, moustachu, aux gros yeux, l'air des plus inoffensifs. Le mari de la ninnaine ? Dorisca et Dieudonné se frayaient un passage en essayant de ne rien renverser quand une voix tomba d'en haut :

— C'est toi, Dorisca ?

— Oui, c'est moi, ninnaine !

Ils s'engagèrent dans l'escalier. Une grosse femme se tenait sur le palier, éclairée par la lampe à pétrole qu'elle élevait au-dessus de sa tête. Peignée à choux, le visage agréable, les yeux un peu braques, les seins ballottant dans sa chemise de nuit de coton blanc à empiècement crocheté. Elle fit doucement :

— Ce soir, il tarde à venir.

Puis elle considéra Dieudonné pensivement et, fronçant les sourcils, elle interrogea sa filleule :

— Doudou, qui c'est celui-là ? Sa tête ne me revient pas.

Dorisca s'empara de la main de Dieudonné et déclara avec autorité :

— C'est mon ami, ninnaine !

Là-dessus, elle le poussa de l'autre côté du palier, dans une chambre, bouche d'ombre, guère plus grande qu'une des cabines de *La Belle Créole*, aussi étouffante, puis referma la porte. À travers le bois, la marraine insista :

— Chérie cocotte, veille sur ton corps !

Dorisca haussa les épaules. Dans la chambre,

elle alluma des bougies, et flotta à la surface de l'ombre une surprenante image. Sur un fond semé d'étoiles, figurait un cœur prolongé d'une sorte d'épée qui se terminait par trois poignées.

— C'est le vèvè d'Erzulie Dantor, expliqua Dorisca.

Elle fit valser ses Doc Marteen's, découvrant ses pieds enfantins et fragiles, aux ongles barbouillés d'un restant de vernis rouge, grimaçant :

— Elles me serrent. Une pointure trop petite. Tu comprends, je les ai achetées d'occasion.

De l'autre côté du palier, une porte se referma, un sommier grinça. La marraine se recouchait. Dorisca ordonna :

— Déshabille-toi et mets-toi sur le lit.

Il crut avoir mal entendu. Elle se mit à rire :

— Tu sais, je n'ai pas encore fait ça avec personne. Ce n'est pas avec toi que je vais commencer. Ninnaine dit que la virginité, c'est le trésor d'une femme. Je ne donnerai ça qu'à celui qui me passera la bague au doigt et me fera monter en voile et couronne, tout de blanc, vêtue, les marches de la cathédrale. Tu as déjà entendu parler du vodou ?

Dieudonné fit non de la tête. Elle prit un air important :

— Des gens sont catholiques et croient que le Bon Dieu a tout fait sur la terre. D'autres sont protestants. Ou encore bouddhistes. Nous, le vodou, c'est notre religion à nous, que nous avons emmenée depuis l'Afrique dans le temps-longtemps. Nos saints esprits s'appellent les loas. Il y a des loas-hommes et des loas-femmes. La plus belle des loas-femmes, c'est Erzulie. Des fois, on l'appelle Dantor, des fois, Fréda. Des fois aussi, Dahomey. Je veux te masser comme les mambos de chez nous.

Dieudonné renonça à comprendre ce charabia. Il enleva ses vêtements en retenant des plaintes, car la toile collait à ses blessures, ce qui fait qu'elles s'ouvraient sous sa poussée et recommençaient à saigner. Il avait honte de son corps sans désir, de son sexe mou, alors qu'il aurait aimé s'enorgueillir d'une puissante érection. Mais il ne bandait que pour Loraine. Elle riait et le caressait :

— C'est pour moi tout ça ? Autant donner des confitures à un cochon !

Il n'aimait pas qu'elle s'abaisse ainsi !

Une seule fois, il avait bandé pour une autre ! Ana, l'Américaine ! Boris prétendait que ces étrangères-là sont toutes des bòbòs. D'après lui, malgré ses airs de sainte-nitouche, celle-là lui faisait les yeux doux et, à cause de lui, était toujours fourrée à *La Belle Créole*. En réalité, Boris se vantait, il le savait. Depuis leur première rencontre au Sphinx, Dieudonné avait senti le désir d'Ana tournoyer autour de lui, importun comme un maringoin au-dessus d'un dormeur.

À ce moment-là, il n'avait pas de temps pour elle. S'il lui avait offert ce qu'elle voulait quelques semaines plus tard, c'était pour ainsi dire contre sa volonté. Au moment de donner dos au monde, l'instinct de vie avait été le plus fort.

Pendant ce temps, Dorisca fouillait dans les tiroirs de sa commode. Du premier, elle tira une assiette à bord ébréché. Du second, trois flacons dont elle versa avec soin le contenu dans l'assiette. Puis, elle fit craquer une allumette. Le mélange s'enflamma d'un coup. De petites lueurs bleues se mirent à onduler. Dieudonné se moqua, se rappelant l'arsenal de ces kimbwazè, de ces gadèdzafè qu'il avait tant de fois consultés avec Marine :

— Tu fais de la magie ?

Elle rétorqua gravement :

— Le vodou n'est pas de la magie !

Là-dessus, elle trempa ses mains dans un bocal de vaseline, s'approcha de lui et, après s'être signée largement, traça une série de croix sur ses épaules, son nombril, son sexe, le haut de ses cuisses. Ensuite, elle se mit à l'ouvrage. Tandis que, la figure absorbée, ses paumes expertes allaient, venaient, montaient, descendaient, appuyaient, pétrissaient, il comprenait qu'elle accomplissait là une opération mystique qui ne s'adressait pas seulement à son corps. Aussi, à son esprit, à son âme. Des nœuds se dénouèrent au fin fond de lui-même. Des

amarres se démarrèrent. Des bondes se débon-
dèrent. Et il se mit à pleurer comme il n'avait
jamais pleuré. Sur elle qu'il avait perdue, par sa
faute. Sur lui, qui, en châtiment suprême,
devrait traîner la vie sans elle. Sur l'existence
solitaire, misérable, douloureuse comme un calvaire qui allait être la sienne.

— Raconte! fit-elle affectueusement.

D'habitude, il gardait tout en lui. Il avait
laissé Maître Serbulon édifier ce mauvais scénario — tellement payant en fin de compte
puisqu'il lui avait gagné la liberté, une liberté
dont il ne savait que faire. À présent, il n'en
pouvait plus.

— Qu'est-ce que tu veux que je te raconte?
On raconte le malheur, on raconte la tragédie.
On ne raconte pas le bonheur. J'étais heureux.
Parfois, quand elle avait trop bu, aux environs
de minuit, une heure du matin, elle devenait un
peu ennuyante. Elle radotait sur un tas de gens
que je ne connaissais pas, de choses que je ne
comprenais pas, elle s'énervait :

« "Tu es bête! Bête à manger du foin.
Qu'est-ce que je perds mon temps avec un type
bête comme toi?"

« Mais à part ces moments-là, elle était toujours gentille. Elle aimait à se moquer d'elle-
même. Elle racontait :

« "Je pourrais devenir un grand écrivain, une
Marguerite Duras. J'ai autant de talent qu'elle.

Plus même. Seulement, pour mon malheur, je suis une békée. Les békés sont une race maudite. Nous avons fait le sale travail pour les blancs-France : mettre les nègres d'Afrique au travail, cultiver la canne, essayer de sauver les plantations après l'abolition. Quand même, ceux-ci n'ont jamais éprouvé de reconnaissance. Jamais un mot de merci ! Ils se sont même payé le luxe de nous mépriser parce que les maîtres couchaient avec leurs esclaves. Quant aux nègres, ils nous détestent. Jusqu'au jour d'aujourd'hui, ils nous accusent de tous les péchés d'Israël. Ils ne veulent se souvenir que des coups et des humiliations des mauvais maîtres. En même temps d'après eux, les bons maîtres, c'était pis encore que les autres, des hypocrites, des paternalistes. En somme, nous perdons sur tous les tableaux."

« Je crois que ce qui a foutu sa vie en l'air, c'est la mort de sa sœur, Florelle. Elle n'a jamais pu l'oublier un seul instant. Elle me montrait des photos : "Elle était belle, n'est-ce pas ?" Je voyais une fille, un peu épaisse, trop joufflue, pas du tout à mon goût. Elle pleurait : "Nous nous ressemblions comme deux gouttes d'eau. Seule différence, elle était brune. Moi, j'étais blonde. Aussi, elle était intelligente. Elle réussissait à l'école alors que, dans ce domaine-là, je n'étais pas bonne à grand-chose. C'est pour cela que mes parents ne m'ont jamais aimée. Les parents veulent être fiers de leurs enfants, c'est normal. Ma mère, que quarante années de mariage avec un despote avaient frustrée, rêvait de se venger à travers moi. Mon père qui avait été baptisé Jean-Eustache, mais que tout le monde surnommait derrière son dos Jean-Couillon, rêvait, lui, d'une fille médecin, avocat ou alors qui fasse un beau mariage. Or trois fois, je me suis mariée. Trois fois avec des bons à rien qui auraient fini mon argent si je les avais laissés faire. Le meilleur, c'était le premier, Antoine, un peintre qui ne peignait que la mer. Des carrés, des rectangles bleus. Personne n'achetait. Je lui disais pour le consoler : 'Qu'est-ce que tu veux ? On ne peint pas la mer.' Il répliquait : 'Alors, on ne peint pas la vie.' Le pire, c'était le troisième, Paol, un Breton qui ne voulait faire des vers que dans sa langue et me serinait : 'Ton pays-Mon pays, même combat.' Je l'ai quitté pour ne plus entendre ce genre d'élucubrations."

Dorisca trempa à nouveau ses mains dans la vaseline et protesta :

— Ce n'est pas ce qu'on a écrit dans *France-Caraïbe*. On a écrit qu'elle te traitait pire qu'un chien et qu'un jour, à la fin des fins, tu t'es révolté.

Oui, oui ! C'était la version Serbulon. Or, elle ne s'était mise en colère, elle ne lui avait mal parlé qu'à cause de Luc. C'est à partir de son arrivée qu'elle avait changé. C'est à cause de lui qu'elle avait foulé aux pieds sa tendresse, son amour. À cause de lui, qu'elle l'avait blessé à mort. Qu'elle avait voulu le tuer.

Après l'ordre qu'elle lui avait donné de disparaître de chez elle, il n'avait pas osé s'aventurer autour de la villa. Il s'était terré à *La Belle Créole*, supportant les tirades de Boris, les visites d'Ana et ses muettes avances. À la fin, un après-midi qu'il souffrait trop, il n'avait pu s'empêcher de rôder allée des Amériques. En apparence, rien n'avait changé. Le quartier somnolait dans le luxe. À cette heure, les dogues tiraient la langue, morts de chaleur dans leur niche. Assoiffées, les fleurs des jardins, flétries, baissaient la tête. Au-dessus des galeries, les stores rayés vert et blanc donnaient de l'ombrage. De loin, il considérait le paradis qu'il avait perdu quand Amabelle avait poussé la porte, ouvrant vite son grand parasol. À en croire toutes ses dépositions, sympathie, pitié, chagrin se disputaient le cœur d'Amabelle. Elle supportait pour Dieudonné. Dans la réalité, c'était une autre affaire. Ce jour-là, silhouette plate comme une planche à pain dans sa robe verte, la zindienne avait pressé le pas pour se distancier de pareil indésirable. Les réponses étaient tombées rapides, sèches de sa bouche. Oui, la fête du réveillon avait été un succès. Près d'une centaine d'invités. Il semblait que Luc avait vendu tous ses tableaux. Oui, il était encore là, mais, d'après ce qu'elle avait entendu, il devait s'envoler bientôt pour New York.

En effet, le lendemain de Joud'lan, Luc était reparti. Il n'était même pas revenu en Guadeloupe pour l'enterrement de Loraine, que d'ailleurs peu de personnes avaient suivi. Uniquement des parents. Aucun de tous ceux à qui elle avait fait du bien. Luc était à New York. Cela signifiait que le coupable était toujours en liberté. Il allait, il venait. Il s'asseyait dans Central Park. L'automne était fini. Autour de lui, les arbres étendaient leurs branches noircies au fusain et son œil de peintre se repaissait de ces formes torturées. Le soir, il s'étendait à côté de qui il aimait. Quand s'apercevrait-on qu'on avait confondu bourreau et victime?

Ce genre d'histoires ne manque pas. Un homme est enfermé pour un crime qu'il n'a pas commis. Ses cheveux blanchissent. Ses yeux s'obscurcissent dans le noir du cachot. Un jour, on découvre l'inqualifiable erreur. On le remet en liberté, mais il n'a plus envie de rien. Personne ne peut lui rendre l'insaisissable qu'il a perdu.

À ce moment, Dieudonné entendit fuser un cri de joie, bientôt suivi du murmure d'une conversation. Dorisca releva la tête et dit d'un ton satisfait :

— Il est arrivé. Tout à l'heure, le sommier du lit va grincer, ils feront l'amour.

169

— Comment peut-on faire l'amour avec un mort? hasarda Dieudonné.

— En Haïti, c'est une chose qui est courante, fit calmement Dorisca. Toutes les femmes dont les tontons macoutes ont tué les maris les retrouvent pendant la nuit. La seule chose, elles ne peuvent plus faire d'enfants avec eux.

Une fois de plus, Dieudonné renonça à comprendre. Dorisca continua à le masser de ses petites mains expertes et brûlantes. Brusquement, ce ne fut pas le bruit joyeux et rythmé de l'accompagnement du plaisir qui se fit entendre, la porte s'ouvrit. La marraine fit irruption, brandissant sa lampe à pétrole. Elle avait perdu son air calme, rêveur et semblait métamorphosée en dangereux animal, en tigresse par exemple. Elle tremblait, pointant un doigt accusateur vers Dieudonné qui, en hâte, se redressait, essayait de cacher ses parties, et elle bégaya :

— Doudou, il l'a reconnu. Il a senti sa mauvaise odeur depuis qu'il est entré dans la maison. C'est lui qui... C'est lui qui...

Dans sa bouche, les mots fondaient en bouillie inaudible. Avec fureur, elle ramassa les vêtements éparpillés, les lança dans l'escalier, d'une seule poussée envoya Dieudonné bouler derrière eux, hurlant :

— Assassin! Maudit! Sors près de mon enfant! Fous-moi le camp! Fous-moi le camp! Assassin! Maudit!

170

Dieudonné se ramassa au pied des marches, il traversa le living-room à tâtons, et finit de se rhabiller sur le trottoir. Il enfila tant bien que mal ses vêtements, cala ses pieds dans ses vieilles Reebok et s'en alla clopin-clopant.

À quelques mètres de là, à la lueur d'un pneu de voiture enflammé, un groupe de garçons jouaient aux cartes dans le plus parfait silence. La lumière sculptait leurs traits, auréolait leurs locks, donnait un aspect irréel à toute la scène. Absorbés, ils ne tournèrent pas la tête vers Dieudonné qui se coula dans l'ombre pour l'heure bienfaisante. Il avait de plus en plus mal, le massage de Dorisca n'ayant servi qu'à réveiller ses meurtrissures, il avait soif, faim. Rien dans l'estomac depuis le fameux colombo du midi. Où aller ? Il se souvint que Fanniéta demeurait en ville. Elle n'était pas bien généreuse, celle qui l'avait porté sur les fonts baptismaux. De même qu'elle n'avait guère chéri sa sœur, de même elle ne chérissait guère l'enfant de celle-ci. Pas plus à Noël qu'à Joud'lan, elle ne lui avait fait de cadeau. Pas un baiser. Pas un sourire. Pourtant, la parole assure que le sang, liquide rouge, salé, gonflé d'hémoglobine, n'est pas de l'eau, qui on le sait n'a ni odeur ni couleur ni saveur. Un jour pareil, elle ferait une exception et lui donnerait un coin pour dormir dans sa maison.

Il prit la direction de la rue de Lesseps.

13

Aprés des années de galère, concubins cou-
reurs, grossesses solitaires, enfants non recon-
nus, chômage, R.M.I., affres des fins de mois,
Fanniéta avait enfin trouvé Magloire.

Magloire ne s'était pas préoccupé de relever le
nom de ceux qui lui avaient fait ses deux garçons et sa fille, elle-même à quatorze ans déjà
maman d'une petite fille, il n'avait pas voulu
savoir à tout prix le jour et l'année de sa naissance, il ne s'était pas offusqué des plis que l'âge
commençait de creuser autour de ses yeux, de sa
bouche, de ses fausses dents. Non ! Il ne lui avait
rien demandé et il s'était mis en ménage avec
elle, à la stupeur des malparlants et des envieux.
C'est que Magloire n'était pas un natif natal, un
Guadeloupéen ordinaire. Son placenta n'était
pas enterré au pied d'un sablier. Il ne parlait pas
le créole et son français roulait les r comme celui
des métros. Sa famille paternelle avait émigré en
France après la guerre et, deuxième génération,
il avait vu le jour à quelques mètres des usines
Renault de Boulogne-Billancourt où son père
était O.S. Cependant, on doit à la vérité de dire
que Magloire était brebis galeuse dans le trou-
peau de ses six frères et sœurs. Alors que ceux-ci
étudiaient bien à l'école pour devenir l'orgueil

de leurs parents, dès ses seize ans, il s'était fait renvoyer du collège pour une sale histoire. Depuis lors, il n'avait connu que de mauvaises fréquentations, évité de justesse la prison, erré de boulots minables en boulots minables. Il s'était mal marié, avait quitté sa femme en lui laissant en souvenir deux jumelles. À quarante-cinq ans, il était revenu au pays de ses ancêtres, obsédé par les images sur papier glacé qui l'avaient poursuivi de colonies de vacances en classes de neige et en séjours linguistiques dans les coins perdus du Kent. Des palmiers royaux. Des sources bondissantes. Partout, la mer. Il était naïvement persuadé que le soleil le cuirait, comme l'homme de ce conte que sa grand-mère lui avait raconté, et que l'eau des rivières ferait couler sur son front un nouveau baptême. La réalité étant bien inférieure à ses rêves, il s'apprêtait à faire le retour dans un avion charter quand, au mariage d'une cousine, il avait fait la connaissance de Fanniéta qui vêtue de rouge, un tray entre les mains, servait les pâtés à crabe et le boudin.

Ô vertige de l'amour !

Pour elle, il avait remis en état, repeint de ses mains une maison entre cour et jardin de la rue de Lesseps qui autrefois avait appartenu à sa famille. Pour elle, il avait cherché du travail, quête aussi ardue que celle d'une aiguille dans une botte de foin. Heureusement, il se trouvait que las des vols, des braquages et du meurtre des vigiles qu'ils alignaient à prix d'or sur les trottoirs de Port-Mahault, les commerçants avaient levé une milice privée, une cohorte de redoutables gaillards qu'on pouvait voir s'excercer au tir et aux arts martiaux dans les razyé derrière l'hôpital. Magloire avait été retenu à cause de sa carrure peu commune et de la familiarité qu'il avait acquise avec les armes à feu du temps de son adolescence troublée. Désormais, en échange d'une bonne paye, il enfilait un treillis kaki, se coiffait d'un calot de même couleur, et cinq nuits sur sept, il faisait partie d'une patrouille. Il est impossible de décrire la transformation que cet emploi entraîna en lui. De rêveur, nonchalant, Magloire devint énergique. De souriant, blagueur, il devint concentré. Dès qu'il en avait le loisir, il graissait son revolver Smith et Wesson modèle 686 à coups, symbole de l'homme nouveau qu'il était. Il ne tarda pas à gagner du galon et à commander à sa division. Grâce à elle, bientôt on ne compta plus les malfrats dérangés dans leurs desseins, les dealers surpris dans leur trafic, les drogués réchappés de justesse d'une overdose. Sa vigilance permit d'arrêter une bande cagoulée qui, en plein jour, attaquait les bijouteries, et un violeur qui, de surcroît, dévalisait ses victimes.

Cette nuit-là, son revolver à son flanc comme une maîtresse dont on ne peut s'éloigner,

Magloire goûtait un repos bien mérité. À la lumière d'une lampe de camping, il avait pris son dîner avec Fanniéta, Hélène et les deux fils adolescents. La journée avait été longue et mouvementée. La conversation avait roulé sur le spectaculaire acquittement de Dieudonné et l'indifférence dont celui-ci avait fait preuve devant cette issue inespérée. C'est à peine s'il avait ouvert sa bouche pour remercier Maître Serbulon de sa belle ouvrage. Quand même, il fallait rendre grâces au Bon Dieu, se réjouir en songeant à cette pauvre Marine qui, là où elle se trouvait, était témoin de tout et devait être aux anges, elle qui avait idolâtré son garçon. Si les fils commentaient mollement toute l'affaire, Fanniéta et Hélène étaient surexcitées. Elles ne donnaient pas trois mois à cette crapule de Dieudonné pour reprendre ses quartiers à Basse-Pointe. Elles n'y croyaient pas aux boniments de l'avocat. À sa théorie selon laquelle Loraine aurait en quelque sorte provoqué sa mort en métamorphosant un faible, un tendre qui lui était tout dévoué en bourreau. Foutaises ! Certains êtres sont nés pour le mal, et Dieudonné était du nombre. Fanniéta et Hélène arrivaient à cette conclusion unanime par des voies différentes. Fanniéta n'avait jamais porté Dieudonné dans son cœur. Quand il était bébé, Marine le lui donnait parfois à garder et il hurlait sans arrêt, à l'assourdir, jusqu'au retour de

175

sa maman. Quand elle avait eu la grande bonté
de le recueillir, non seulement il avait voulu dés-
honorer sa maison, en y introduisant son élevage
de kokdjèm, ses créatures d'enfer. Mais, elle se
rappelait ses mutismes. À peine un bonjour, un
bonsoir. Assis à sa table, à s'empiffrer de son
manger, il ne prononçait pas une seule parole. Il
avait une manière de se lever en s'essuyant la
bouche d'un revers de main qui signifiait qu'il
avait entendu son compte de bêtises. Les griefs
d'Hélène étaient encore plus sérieux. À chacun
ses souvenirs ! Après tant d'années, Hugo apparaissait aux gens du pays comme une sorte de
moment magique où ils avaient expérimenté la
violence de la nature. Cette nuit-là marquait
pour elle la fin sanglante de l'enfance. D'accord,
ce n'était pas la première fois ! À quatorze ans,
elle avait déjà laissé pas mal de garnements lui
monter dessus. Mais trois gaillards les uns après
les autres ! Malgré ses cris et ses protestations !
Est-ce que de tels abus ne méritent pas le nom
de viol ? Est-ce que des garçons n'entrent pas à
la geôle pour cela ? Chose étrange, elle haïssait
tout particulièrement Dieudonné qui ne lui avait
rien fait. S'il ne voulait pas imiter les autres,
pourquoi ne l'avait-il pas défendue ? Il était resté
muet, immobile, comme un morceau de bois,
pleurant comme si c'était lui la victime. Le pire,
c'est qu'il semblait n'avoir gardé aucun souvenir
de cet événement. Il la traitait avec la plus

complète indifférence, et la petite Huguette avec impatience. Il refusait de la conduire à l'école, de lui faire réciter ses leçons et, une fois qu'elle avait fouillé dans sa commode, il s'était permis de lever la main sur elle. Magloire raisonnait autrement. Il ne connaissait guère Dieudonné qui semblait éviter mariages, baptêmes, veillées mortuaires. La famille le traitait de drogué, de vaurien et n'arrêtait pas de rabâcher cette histoire de kokdjèm. Il en aurait possédé jusqu'à une vingtaine, véritables oiseaux de proie qu'il élevait dans des cages en osier, à qui il donnait les noms les plus effroyables : Belzébuth, Lucifer..., ce qui trahissait le fond de sa nature. Magloire, qui se rappelait les troubles de sa jeunesse, était plus indulgent. Il se disait surtout que l'homme n'arrête pas de surprendre. À vingt-deux ans, tout individu est perfectible et Dieudonné, que tout le monde accablait, avait le temps de se ressaisir et de finir dans la peau d'un honnnête papa. Pourtant, le travail est la clé d'une bonne vie. Si le pays accouchait de tant d'esprits malades et rebelles, c'est qu'il était incapable d'en fournir à ses enfants.

Bien avant dix heures, on se donna le bonsoir puisqu'on ne pouvait plus s'asseoir en rond dans le living-room autour du petit écran. L'orgueil de Fanniéta était que Magloire ait si bien agrandi la maison que chacun y avait une pièce où dormir. Même Huguette qui ne passait plus la nuit dans la tiédeur de la kabann de sa maman. Magloire et Fanniéta se retirèrent dans leur chambre qui s'ouvrait sur le morceau de jardin, la haie de sang-dragons le séparant de la rue, pour l'heure noire tranchée où pas un chat ne bougeait. Carré sur ses oreillers, Magloire se mit à converser. C'était à chaque fois le même rituel. Le soir, il rabâchait les souvenirs de son adolescence, les erreurs de sa jeunesse, les dangers nocturnes, les rencontres avec la police, les galopades, les fuites inespérées. L'écoutant avec un peu de lassitude, Fanniéta se demandait si seul le temps où l'on vit en marge des canons vaut la peine d'être remémoré et raconté. Par contraste, elle n'avait rien de rien à offrir, elle qui n'avait jamais fait que prier Dieu, et subir Sa Sainte volonté.

Sur sa conscience, une seule tache.

Elle devait avoir dix ans. Sac au dos, elle revenait de l'école et longeait le cinéma-théâtre de l'Alhambra quand une dame était sortie d'une des maisons hautes et basses qui bordent la place des Écarts. Une de ces dames à peau claire et bons cheveux qui s'avancent dans un froissement de linge fin et laissent derrière elles un nuage de parfum. Fanniéta restait là à béer d'admiration quand la dame fouilla dans son sac pour en tirer des lunettes qu'elle jucha gracieusement sur son nez. D'élégantes lunettes de vedettes de cinéma, les verres très sombres entourés d'une large monture blanche. À ce moment, quelque chose tomba à ses pieds sans qu'elle s'en aperçoive : un portefeuille, un élégant maroquin de cuir brun. Fanniéta avait tout le temps de ramasser l'objet qui roulait dans la poussière, de courir le tendre à sa propriétaire qui s'installait sans se presser derrière le volant de sa voiture, peut-être d'avoir la grâce d'un sourire en guise de merci. Au lieu de cela, des fils invisibles la retinrent. Elle eut l'impression d'être collée en terre comme Kompè Lapin, tandis que la voiture démarrait, s'éloignait, tournait l'angle. Alors, seulement, Fanniéta se précipita. Elle n'ouvrit le portefeuille qu'arrivée chez elle, dans la chambre qu'elle partageait avec sa mère et ses deux sœurs. Il contenait de la monnaie et, plié menu, un billet de 500 F. Fanniéta eut le vertige. De sa vie, jamais elle n'avait possédé tant d'argent. Où cacher ce trésor ? Le cœur battant, elle le glissa sous le matelas. Elle passa la soirée sur un nuage, supputant la quantité de merveilles qu'elle pourrait s'offrir : des cahiers à spirale, des pointes bic. Mais aussi, des Chicklets, des Danone à boire à la fraise. Elle alla se coucher la première afin de mieux surveiller sa cachette. Elle se leva la dernière pour la même raison. À midi, le portefeuille était à sa place. À cinq heures, quand elle revint de l'école, il avait disparu.

Elle crut d'abord à un miracle du Tout-

Puissant qui voit tout. Le Bon Dieu, subtilisant l'objet de son crime, l'avait punie de son péché et en pleurs, repentante, elle tomba à deux genoux. Puis, elle commença de soupçonner ses sœurs, Marine surtout, qu'elle n'avait jamais portée dans son cœur. Puis, remarquant la mine peu naturelle d'Arbella, l'idée la saisit qu'elle avait peut-être été volée par sa mère, sa propre mère qu'elle adorait, sa mère qu'elle comparait dans ses pensées à la Vierge du Grand Retour, à Marie, Reine de toutes les vertus. Fiévreusement, elle l'observa, cherchant à acquérir une certitude. Elle n'y parvint pas tandis que l'énormité de son soupçon lui faisait honte d'elle-même. Comment avouer tout cela à confesse? Trois jeudis de suite, elle avait évité le catéchisme.

À parler de l'autrefois, il semblait que Magloire réenfourchait le fol étalon de sa jeunesse. Après quoi, il enlaçait sa Fanniéta et lui faisait l'amour comme à vingt ans. Ce soir-là, il s'apprêtait à plonger dans sa chair généreuse et consentante quand un vacarme s'était déclenché : les chiens, les chiens s'étaient mis à aboyer. Autrefois, la rue de Lesseps, qui coupant le quai Orban s'abîmait dans la mer, était une petite artère excentrique, un fouillis de cases en tôle, peuplées de malheureux. Puis la ville s'était étendue. Elle avait rogné sur ses faubourgs, y avait édifié des immeubles d'habitations. La rue de Lesseps s'était embourgeoisée de maisons coquettes. Derrière les grilles, comme partout ailleurs, veillaient des chiens de garde créoles ou étrangers c'est selon, lâchés dès que le jour fléchissait. Magloire se releva, courut à la fenêtre, releva les persiennes. La rue s'étendait opaque. On n'y voyait pas plus clair que dans le cul d'un nègre. Cependant, ses yeux s'habituant à la noirceur crurent distinguer une silhouette, une forme qui se mouvait sur le trottoir, par-delà la haie. Elle s'approchait de la barrière, essayait de l'ouvrir pour pénétrer dans le jardin. Il retourna en vitesse vers le lit, se saisit de son Smith et Wesson, et tira dans la direction du fantôme. Une fois. Deux fois. Par précaution.

Il se fit des remous, des cercles concentriques dans l'eau noire qui cernait la maison. L'oreille fine de Magloire entendit le bruit d'une débandade. Satisfait, il revint vers le lit, posa le revolver sur la table de chevet, souffla la bougie et se coucha :

— Je n'aime pas ces machins-là, commenta Fanniéta dans l'ombre. Ça fait trop de désordre dans ma tête.

Puis le couple s'enlaça pour faire l'amour.

Dieudonné — on aura deviné que c'était lui, le rôdeur inconnu — prit ses jambes à son cou. La nuit bouillonnait. C'était la deuxième fois que des balles sifflaient de si près à ses oreilles. La première fois, elles s'étaient logées quelque part dans la cloison derrière son dos. Cette fois, il avait senti leur feu l'incendier non loin de sa joue. Courant droit devant lui, il se trouva face à la silhouette apaisante de la cathédrale Saint-Jean-de-Obispo. Rassuré, il gravit à toute allure les marches du parvis. Hélas! Comme il s'approchait de la façade creusée de niches où s'abritaient les saints de pierre et les oiseaux sans nid, il s'aperçut que les hautes portes de bois clouté étaient closes. Pourquoi ferme-t-on les églises? Est-ce qu'elles ne devraient pas être là pour abriter toutes les détresses? Donner un toit à ceux qui en ont bien besoin? Ne manquent-elles pas ainsi à leur destination première?

Malheureux, comme si, une fois de plus, un ami l'avait mis dehors, il redescendit les marches. C'est alors qu'il les vit. Rangés tels des soldats le long du dalot. Calmes. À peine menaçants. Certains d'entre eux occupés à tout autre chose : se flairer, se lécher l'un l'autre. Une dizaine de chiens, efflanqués, hauts, le poil rare et galeux. Ils étaient sans doute arrivés depuis leur lieu de rendez-vous, la place des Écarts, toute proche. Mais, dans sa terreur, il sembla à Dieudonné que c'étaient ces mêmes chiens-là qui l'avaient poursuivi des kilomètres plus loin, sur l'autoroute, et qu'il retrouvait, à l'attendre contre toute attente, à lui barrer le chemin. Les Esprits ne connaissent pas les distances. Invisibles, ils volent dans l'air qu'ils parcourent rapides comme des mal-finis et on entend seulement le froissement de leurs ailes. Une supplication lui monta au cœur : « Amis chiens ! Je ne vous ai jamais rien fait. Par pitié, laissez-moi passer. »

Comme si elles l'entendaient, dressant l'oreille, les bêtes tournèrent la tête vers lui. Le vrillant de leurs regards de morts-vivants, elles semblèrent peser le pour et le contre. Sous leurs babines retroussées, il vit briller leurs crocs et s'attendit à une attaque. Soudain, le miracle se produisit. Une à une, les bêtes d'enfer lui donnèrent dos, exposant leurs derrières osseux, percés d'anus immondes et leurs jambes crochues. Levant la patte, l'une d'elles pissa bruyamment. Puis, brusquement, la meute se mit à courir dans la direction opposée, vers une proie que seules ses prunelles percevaient.

Dans son soulagement, Dieudonné se laissa tomber sur la pierre, froide et rêche sous ses fesses.

14

Où était-il ?

Pour la dixième fois, Arbella sortit sur le balcon et inspecta la cour de la cité, illuminée comme un camp de concentration ou une township sud-africaine. Déserte. Seuls les volontaires des milices qui avaient doublé leurs patrouilles s'y promenaient. Dans le quartier, l'électricité s'amenait à vingt heures et ne repartait qu'à minuit. Aussi, on pouvait presque oublier les grèves. Les soirées se déroulaient selon le rythme d'avant. Pour ses soixante-dix ans, sa fille Fanniéta lui avait offert le câble et Arbella se gorgeait de séries américaines. Avec ses quatre bons enfants qui n'oubliaient pas ses sacrifices et l'entouraient de leurs gâteries, elle aurait pu se juger heureuse. Sa dernière fille l'invitait à Toronto. Mais elle rechignait, les gens disent qu'il fait froid au Canada.

Malheureusement, il y avait Dieudonné! Où était-il? Quel coup préparait-il encore? Il ne tenait qu'à lui de repartir du bon pied! Toutes ces sympathies qui s'étaient manifestées pour lui. À son acquittement, des inconnus avaient téléphoné pour exprimer leur joie. Un commerçant voulait le prendre dans sa boutique.

Arbella se rappelait son bonheur et sa fierté quand Marine, sa cadette, pourtant la plus jolie de ses filles, après des années de malchance était tombée enceinte. D'Émile Vertueux. Elle aurait aimé pavoiser, clamer partout qui était responsable du ventre de son enfant. Émile Vertueux dit Milo, c'était celui qui, dans un souci de diversification, avait introduit la souche du melon Cavaillon dans le pays, et avait été, pendant des années, le président de l'Association des planteurs de cultures vivrières. On voyait sa puissante gueule à la télévision, réclamant des indemnités au moindre coup de vent qui avait couché les bananiers, à la moindre sécheresse qui avait brûlé les melons. Il obtenait tout de l'État, car il était à tu et à toi avec tous les gens du gouvernement. *Paris-Match* l'avait même montré dansant la biguine avec la veuve d'un ancien président de la République. Malheureusement, Marine, à sa manière arrogante, s'était mis des idées dans la tête. Elle n'écoutait pas les conseils et ergotait :

— Pourquoi est-ce qu'il ne veut pas se marier avec moi, hein? Parce que je suis trop noire? Parce que ma maman est une malheureuse? S'il m'aime, il ne doit pas avoir honte!

Tant et si bien que Milo l'avait abandonnée à son cinquième mois, avec sa montagne à la vérité et ses deux yeux pour pleurer. Dieudonné était né un 14 avril en pleine semaine sainte et on aurait dit que Marine imitait la passion de Notre-Seigneur Jésus-Christ. Après Milo, elle n'avait plus ouvert sa couche à aucun homme tandis que sa beauté flétrissait et que son caractère, jamais facile, devenait excécrable. Non seulement Milo n'avait pas levé le petit doigt lors de son accident, mais encore Arbella avait vainement attendu un chèque pour l'orphelin. Pourtant, à l'en croire, le drame qu'avait vécu ce dernier l'avait remué au plus profond. Il se disait repenti. À présent, il ne demandait qu'à aider celui qu'il avait trop longtemps négligé. La preuve, sa visite inattendue en fin d'après-midi. Il s'était amené sans prévenir. À le voir apparaître, grand bourgeois à voix sonore, l'air assuré, bien vêtu, tellement déplacé dans cet intérieur modeste, Fanniéta (qui n'avait pas sa langue dans sa poche), Magloire, les autres parents avaient perdu l'usage de la parole. Flairant qu'ils étaient de trop, ils s'étaient hâtés de prendre congé, se bousculant les uns les autres pour atteindre le palier. Une vraie débandade ! Milo portait encore beau malgré les tristes cadeaux de l'âge : une chevelure devenue rare et grisonnante, la peau du cou distendue, des dents trop régulières pour être vraies, des rides creusées tout partout. À cause de ces changements, elle ne l'avait pas reconnu tout de suite. En outre, les médias s'étaient détournés de lui depuis qu'il avait cédé sa place à Julius Rangoon, un jeune planteur des Salines, signe des temps, un zindien dont le cousin germain était député. S'asseyant aux côtés d'Arbella, il avait interrogé avec cette gentillesse qui le caractérisait depuis le temps où il faisait sa cour à Marine et, sans honte, garait sa Citroën de grand luxe devant le taudis qu'elle partageait avec sa mère, ses sœurs, ses frères :

— Arbella, comment va le corps ?

Soupirant, elle ne lui avait fait grâce d'aucun détail : sa tension, sa sciatique, ses douleurs d'arthrose aux épaules, aux bras, aux genoux. Le matin, ses os grinçaient comme ferraille rouillée. Des fois, elle ne pouvait même pas se tenir debout, avancer. Il avait écouté cette longue tirade sans manifester d'impatience, puis avait touché le vif du sujet, questionnant brutalement :

— Où est-il?

Elle avait dû avouer qu'elle n'en savait rien. Il avait filé sitôt le déjeuner avalé, cela faisait plusieurs heures. Il avait soupiré :

— Pourvu qu'il ne soit pas encore en train de faire des bêtises! Tu vois, ce qui lui a manqué, c'est ma main. Une femme n'élève pas un homme toute seule. Je le répétais à Marine dans toutes mes lettres.

Des lettres? Il inclina la tête :

— Oui! Je ne peux pas te dire combien de lettres je lui ai adressées. Mais c'était une têtue, elle ne me répondait même pas. Tu vois, le Bon Dieu m'a puni. Avec Arielle, ma femme mariée, une Martiniquaise, je n'ai eu que des filles. Quatre. Celui-là, c'est mon seul garçon. Quand je le regardais à la télévision, je pleurais comme un veau parce que c'est mon portrait craché, en plus noir évidemment. J'appelais mes filles. Je leur disais : « Regardez, celui-là, c'est votre frère. Il est innocent. Le coupable est celui que vous nommez papa. C'est moi qui devrais être à sa place à la geôle. »

Puis, il s'était pris théâtralement la tête entre les mains :

— Je te dis, Arbella, depuis qu'elle est morte, pas un jour ne s'est passé sans qu'elle soit dans mes pensées ! S'il y a une femme que j'ai aimée, son nom, c'est Marine. Malheureusement, quand on est jeune, on ne voit pas clair dans son cœur. Je voulais réussir. C'est pour cela que je me suis marié dans l'argent. Arielle, c'est une Bavarois. Des rhums Bavarois.

Arbella l'écoutait bouche bée. Elle était surprise, mais ne songeait pas un instant à mettre sa sincérité en doute. Elle n'avait jamais douté des hommes, surtout quand ils avaient bonne mine. D'où ses cinq enfants, chacun d'un père différent. Les propos de Milo confortaient son opinion que tout ce qui arrivait à Dieudonné était en réalité de la faute de Marine. Marine avait empoisonné l'existence de son fils comme celle de sa maman, celle de ses frères, celle de ses sœurs. Il faut connaître sa place sur cette terre et ne pas en demander trop à l'existence, cela, elle ne l'avait jamais compris. Déjà petite, elle remplissait la tête d'Arbella avec des questions incongrues :

— Qui est mon papa ? Pourquoi il ne vient jamais ici ?

— Pourquoi, tous les enfants, nous n'avons pas le même papa ?

— Pourquoi nous n'avons pas une voiture ?

188

— Pourquoi nous habitons dans cette vieille case ?

Adolescente, ses rêves étaient irréalisables :

— Je veux devenir médecin.

— ... ou ethnologue pour aller en Afrique.

Ethnologue, regardez-moi ça ! En fin de compte, elle était morte dans la misère et la triste conduite de son fils faisait la une des journaux. Sans qu'ils s'en aperçoivent, la nuit avait enjambé portes et fenêtres et ils étaient face à face, baignant dans son encre, prisonniers de songes qui tournaient autour d'un seul et même objet. À vingt heures tapantes, le plafonnier les avait inondés de lumière, rameutant brutalement la réalité. Celle à laquelle ils songeaient n'était plus. Milo s'était levé, et avait embrassé la vieille femme répétant ses recommandations avec une emphase toujours passablement histrionique :

— Quelle que soit l'heure à laquelle il revient, dis-lui que son papa l'attend. Qu'il m'appelle : voilà mon numéro de téléphone. Ou, plus simple encore, qu'il vienne me trouver. J'habite à deux pas, à Doria.

Une fois Milo dans l'escalier, Arbella se leva pour allumer la télévision. Pourtant, ce soir-là, elle ne regarda pas les images de *The Jefferson*, son feuilleton favori parce qu'il y était question des heurs et malheurs d'une famille noire, le mari ressemblant à son défunt frère Siméon, la femme à sa belle-sœur Jeanine. Sa pensée divaguait, prenant des tours inattendus. Elle s'interrogeait, ce qui chez elle était rare. Comment réagit un bâtard grandi dans les privations quand il apprend soudain que son papa compte parmi les notables du pays ? Comprend-il que son malheur a eu pour cause l'entêtement de sa mère ? Dieudonné avait adoré Marine. Durant son long calvaire, il avait été un fils sans reproche, la nourrissant à la cuillère, la baignant, la frictionnant, l'habillant, lui faisant faire ses besoins sans dégoût. À sa mort, qui avait été un soulagement pour toute la famille, on avait cru qu'il deviendrait fou. Il avait disparu au beau mitan de la veillée. On avait remarqué son absence tandis que, essuyant des larmes de crocodile, Fanniéta entonnait le Psaume 13 :

Jusques à quand, ô Éternel, m'oublieras-tu sans cesse ?
Jusques à quand me cacheras-tu ta face ?

Immédiatement, les hommes avaient interrompu leurs beuveries et étaient partis à sa recherche. Des heures plus tard, ils l'avaient retrouvé errant sur des rochers en bordure de mer. Ils l'avaient ramené au morne Lafleur, mais il était trop faible, trop flageolant pour marcher derrière le corbillard, ce qui fait qu'à l'enterrement de sa propre mère, il n'avait pas marqué le deuil. On l'avait remplacé par les garçons de Fanniéta.

190

À force d'attendre, Arbella s'endormit devant la télévision. Elle rêva. Elle rêva que, perdant rides et douleurs, elle avait réenfilé la robe matador de ses vingt ans. Se cachant de sa maman, elle avait rejoint Lucien au bal titane, Lucien, le papa de Fanniéta, le deuxième et le préféré parmi tous ses hommes, le plus vagabond aussi, coureur, menteur. Ce mécréant-là l'avait fait verser des larmes de sang. Tant pis ! Alors qu'il dormait depuis dix ans sous les filaos du cimetière de Bonne-Veine, il suffisait qu'on prononce son nom devant elle pour que sa chair rajeunisse, s'émeuve, tremble. Ils tournoyaient, ils dansaient le quadrille au commandement, au milieu des femmes jalouses qui les épiaient, quand Dieudonné fit bruyamment son entrée. Vrai, elle n'avait jamais autant remarqué qu'il était le portrait de son père, en plus noir bien sûr. Pourtant, elle n'eut pas le loisir de s'extasier sur cette ressemblance, car il était couvert de sang, son linge déchiré, comme au sortir d'une bagarre. Elle trembla et demanda :

— D'où est-ce que tu viens comme ça ?

— Ce n'est rien, fit-il. Une bande m'a agressé à Port-Mahault.

— Qu'est-ce que tu étais allé chercher à Port-Mahault ? grogna-t-elle. Tu sais bien qu'à pareille heure, c'est un endroit pour les scélérats.

Sans répondre, il s'engouffra dans la salle de

bains. Pendant ce temps, Arbella préparait un petit discours qu'elle lui servit, dès sa sortie, sans beaucoup de précautions oratoires. Elle n'avait jamais été habile avec les mots, ni en français ni en créole. Il la fixa comme si elle était devenue folle, répéta, incrédule :

— Milo Vertueux ? Tu veux dire M. Émile Vertueux ?

— Lui-même. Il t'attend. Il veut te voir, se précipita Arbella. Il n'est jamais trop tard pour réparer le mal qu'on a fait. À présent, c'est réparer qu'il veut réparer.

Dieudonné resta un long moment la tête entre les mains comme si un coup l'avait assommé, se dirigea vers la sortie, claqua la porte. Elle entendit son galop dans l'escalier. Se précipitant sur le balcon aussi vite que ses douleurs et ses jambes le lui permettaient, elle le vit qui traversait la cour, comme s'il avait des ailes. Où allait-il ? Elle fondit en larmes.

Voilà, c'était un enfant trop têtu !

Dieudonné courait comme un fou, sans savoir où il allait, droit devant lui et les guêpes du vent bourdonnaient autour de lui, piquant sans pitié ses oreilles. Ses pensées tournoyaient comme chouval-bwa. Le noir de la nuit bandait ses yeux :

« Je voudrais mourir.

« Mais avant, je dois finir avec lui. J'ai déjà tué

une fois. Je suis déjà un assassin. Je peux tuer deux fois. Seulement, ce coup-là, pas de Serbulon pour me sauver. La prison à perpète. Elle, je n'ai jamais voulu la tuer. Comment aurais-je pu tuer ma vie ? Le coup est parti, voilà tout. Lui, au contraire, je le larderai de coups, han-han-han, comme la sale bête qu'il est. Vingt-deux coups de couteau. Un pour chaque année de ma vie. Plus quarante-six, pour les quarante-six années de la vie de ma maman. Parce que c'est lui qui l'a tuée. Pendant que son ventre à elle gargouillait, plein de vents, le sien était rempli de toutes les bonnes choses de la terre. Pendant qu'elle mangeait de la misère, il vivait dans l'opulence sans souffrance. Pendant qu'elle allait nu-pieds, il pavanait dans des souliers vernis.

« Qu'est-ce que ça veut dire réparer ?

« Je ferai couler son sang comme celui d'un cochon qui a rencontré son samedi. Je m'en barbouillerai les babines. Après, j'allumerai un boucan. Je couperai des gaulettes que je placerai en croisillons. Et je poserai son corps pour le rôtir. L'odeur de la fumée chatouillera les narines du Bon Dieu qui veut le règne de la justice dans le monde, qui veut que les méchants soient punis et cela lui fera grand plaisir.

« Elle aussi, c'est lui qui l'a tuée. Parce que c'est lui qui m'a fait ce que je suis. En quelque sorte, c'est lui qui m'a fait dire ce que je lui ai dit pour qu'elle arrête de pleurer et de continuer à prononcer toutes les méchancetés qui sortaient de sa bouche à cause de Luc. De Luc seulement. Si je suis "un petit nègre, rempli d'aigreurs et de malice" comme elle m'a qualifié, "un vulgaire rien du tout" dont personne n'a jamais pris la hauteur, c'est à cause de lui. Ce n'était pas écrit que je deviendrais ce que je suis devenu. C'est à cause de lui que je n'ai jamais vu un sourire sur la bouche de Marine. À cause de lui, si ses baisers avaient le goût de la cendre, si le lait que j'ai sucé à sa mamelle sentait le sur.

« Non ! Personne n'a jamais pris ma hauteur.

« Je savais bien qu'une femme telle que celle-là n'était pas faite pour moi. Tellement belle et riche et instruite. Quand même, je croyais que j'avais une niche dans sa vie, comme celle d'un chien dans un jardin. Je croyais qu'elle avait besoin de moi, qu'elle appréciait ce que je pouvais lui donner. Quelqu'un pour jouer à la belote. Quelqu'un pour chercher du whisky Glenfiddich ou Oban, son préféré. Quelqu'un pour l'aider à se laver, s'habiller. Quelqu'un pour lui donner du plaisir quand elle n'était pas trop saoule. Sur ce point aussi, Luc a menti. Ce n'était pas une nymphomane. Souvent depuis neuf heures du soir, elle ronflait comme un bébé devant la télévision. Je la portais sur son lit et je restais à la regarder dormir. Tantôt elle était tranquille. Tantôt elle s'agitait, elle se plaignait. Des larmes coulaient sur ses joues. Ce qui comptait pour elle, c'était la compagnie de jour et de nuit, qu'elle ne soit pas toujours seule, à remuer les sempiternelles histoires qui la mettaient à l'agonie, sa maman, son papa, Florelle, ses trois maris et les enfants que son ventre n'avait pas pu porter. Elle aurait souhaité en faire plein sa maison. Des filles, des garçons. Son rêve, avoir des jumeaux. Tellement semblables, qu'on les confondrait l'un pour l'autre comme elle aurait aimé qu'on la confonde avec sa sœur. Au lieu de cela, elle s'était fait avorter à seize ans, d'un ami de son papa qui était trois fois plus vieux qu'elle et depuis, fini. Elle n'avait rien de rien. Comme moi. Puisque nous étions pareils, je croyais qu'elle tenait un peu à moi et puis, elle m'a fait comprendre que je me trompais sur toute la ligne, que la seule personne qui comptait pour elle, c'était lui, son ancien élève qu'elle avait formé. Lui, qui derrière son dos n'arrêtait pas de la dérespecter, de la traiter de tous les noms, lui qui, en fin de compte, ne valait pas mieux que "Mamzel Marie".

« Qu'est-ce que ça veut dire réparer ? On ne peut pas défaire ce qui a été fait. Changer ce qui a déjà une forme. »

Brusquement, le vent salé le suffoqua et lui mit les yeux en eau. Des galets roulèrent sous ses pieds, les uns polis, ronds comme des billes ; d'autres rudes et tranchants. Il s'aperçut que, tout naturellement, il était venu retrouver la mer. La seule amie qu'il ait gardée. Celle qui, toujours, lui avait été fidèle. La mer ! Celui qui a connu son étreinte ne peut plus s'en passer. Ni homme ni femme ne lui suffisent plus. Il lui faut à tout prix retrouver le sel de sa bouche, l'odeur de frais de son corps et s'accrocher pour jouir à ses grands cheveux épars. Devant le désarroi de Dieudonné, la mer l'avait hélé à la rescousse. À présent, elle était là qui lui offrait la caresse de son ventre, lui ouvrait les profondeurs moites de son pubis, couronné de varech. Il pouvait la posséder et se perdre en elle, s'il le voulait.

Prenant ses repères, il devina qu'il était au quartier Cadenat, non loin du lakou Ferraille.

15

Mécontent de lui-même, Boris lança un coup de pied à Prince, claqua la barrière du jardin, s'assit au volant de sa Toyota d'occasion.

À tombeau ouvert, il prit la direction de la cité Fleurie, mais il ne voyait pas la route devant lui, ni la mangrove qui l'encerclait de droite et de gauche. Il était mécontent des réactions de petite-bourgeoise de Carla ; mécontent aussi de l'avoir laissée seule alors que, d'un moment à l'autre, le petit inconnu qu'elle portait pouvait faire son entrée dans le monde ; mécontent surtout de sa conduite envers Dieudonné.

— Je ne lui ai même pas offert un verre d'eau à boire, se répétait-il.

La honte et le remords le submergeaient devant l'accumulation de ses méfaits. Premièrement, il ne l'avait guère visité à Basse-Pointe. Bien sûr, il pouvait mettre cela au compte de l'ouragan qui, à ce moment-là, soufflait sur sa propre vie. Il venait de rencontrer Carla. Il fallait se réhabituer à l'amour, aux bienséances, aux manières de la société. Pourtant, cela n'expliquait pas entièrement sa conduite. À s'entretenir avec son cadet dans un parloir laqué blanc, à travers une paroi de verre, à le voir engoncé dans une salopette de détenu, serrée aux épaules, trop petite pour sa carrure, un numéro matricule sur la poitrine, il s'était senti coupable. Coupable de n'avoir pas su lui indiquer le mode d'emploi de l'existence. C'est ce sentiment de culpabilité qui l'avait habité tout au long du procès. Jour après jour, il s'asseyait aux derniers rangs entre les badauds et les curieux de la salle du palais de justice. Comme il admirait l'intelligence, la maîtrise de ce petit Serbulon qu'il avait connu en short kaki quand il venait acheter ses livres de classe ! Il avait su agrandir ce fait divers, cette histoire individuelle à la dimension d'un drame collectif, les transformer en reprise de la scène primitive. Tandis que cet étranger sauvait Dieudonné, lui, l'ami-frère, s'enfonçait plus avant dans l'abjection.

Voilà qu'il le mettait dehors alors qu'il cherchait un refuge ! Le cœur inondé d'une tendresse tardive, il se rappelait la première fois où avait surgi devant lui cet adolescent renfermé qui ne savait ni parler ni rire ni sourire, qui n'avait ni papa ni maman ni famille ni toit au-dessus de sa tête. À première vue, leur relation était peu ordinaire. Ils n'avaient rien de rien à partager. Lui, Boris, quoique autodidacte, se voulait grand lettré, admirateur de Marx et Gramsci, sans oublier Frantz Fanon et Cheikh Anta Diop. Dieudonné, poussé tout seul comme l'herbe de Guinée du talus, n'avait rien lu. Il ne jetait pas un coup d'œil aux journaux, n'écoutait pas de musique, ingurgitait sans discernement les émissions de télévision dont il ne retenait rien. Boris avait vite renoncé à entreprendre sa formation politique, l'autre ne comprenant rien aux grandes catégories sociales. Prolétariat, bourgeoisie compradore, ki sa yé sa ? Pourtant, à présent, il était convaincu que les années qu'il avait passées à ses côtés, S.D.F., prenant refuge tantôt dans un abribus tantôt à *La Belle Créole*, étaient la lumière de son existence. Alors, pas de réunions interminables où l'on tâchait d'inventer un « statut nouveau » pour le pays. Pas de harangues en créole à la radio pour « conscientiser le peuple ». Pas de débats contradictoires sur des places d'hôtels de ville, de meetings houleux. Sa vie n'acceptait d'autre maître que sa fantaisie, sa

liberté. Une pointe bic, un cahier d'écolier suffi-
saient à son bonheur. Des jours entiers, ne se
souciant ni de boire ni de manger, il composait
ses poèmes. La journée était bonne si l'inspira-
tion l'avait été. Depuis qu'il secondait Benjy, il
n'avait écrit que des commentaires fastidieux
sur les occupations de terre de Haut-Marigot ou
des diatribes contre les municipalités. Politique
et poésie ne font pas bon ménage. Cette dernière le désertait.

Il vira sur la corniche.

Dans son idée, n'ayant pas de choix, Dieudonné serait bien obligé d'aller dormir chez
Arbella. Il lui semblait entendre les recommand-
dations, les sages conseils dont la vieille allait
l'abreuver, après la marraine, l'oncle, tous les
membres de la famille.

— Cherche-toi un travail! Au moins, inscris-
toi au R.M.I.

— Cherche-toi une bonne petite compagne.

— Quitte ce bateau. Les hommes ne sont pas
des poissons pour rester dans l'eau. Fais une
demande pour un L.T.S. à la mairie de Port-
Mahault.

Et lui, que lui dirait-il quand ils seraient face à
face?

Soit! Dieudonné était un aveugle, un naïf!
Pas besoin d'être grand grek pour comprendre
que rien de bon ne pouvait sortir d'une association avec Loraine. Serbulon avait démontré quel

genre de personne c'était : névrosée, alcoolique, prenant plaisir à torturer, à humilier les imprudents qui venaient se brûler à sa beauté. Pourtant, il ne lui rappellerait pas sa stupidité, excusable vu sa grande jeunesse. Et puis, il en avait été suffisamment puni. Marqué pour la vie. Estampé au fer rouge. Il avait été acquitté. Pas lavé. À l'avenir, quelle femme aurait la mémoire assez courte pour se coucher à côté de lui et partager sa kabann ? Quel homme lui ferait confiance et le revendiquerait pour son ami ? Quel patron accepterait de le prendre à son service pour un emploi de responsabilité ? Toujours, le souvenir de son crime rougeoierait dans les mémoires. Ainsi qu'on se souvient : « C'était en tan Sorin », ainsi qu'on se souvient : « C'était le mois d'Hugo... », ainsi on marquerait cette année-là d'une phrase où se mélangeraient la réprobation et l'orgueil : « C'était celle où le Petit nègre a tué la Grande békée... »

Non ! Boris ne reviendrait pas sur le passé et n'envisagerait que l'avenir. Alors, est-ce qu'il maintiendrait son offre de passer un an à Cuba ? Les recrues du P.T.C.R. qui s'y rendaient adressaient des lettres éplorées à leurs parents et n'arrêtaient ni de récriminer ni de critiquer. Tout de suite, elles étaient prises en main par des brigadistas de jeunes, logées dans des baraquements éloignés des centres urbains. Pas de cinémas, de bars, de dancings, d'endroits où on cause et on s'amuse. Seul voisinage, celui des bohios, ramassis d'humbles chaumières de planches au toit de palme. Un ordinaire frugal : du manioc bouilli, du miel, les jours fastes du riz et des haricots. Parfois, on les envoyait couper la canne à côté des guajiros, à la machette, comme dans le temps-longtemps. Pour découvrir un sens à cette vie de privations, il fallait être persuadé que l'homme s'endurcit pour la révolution. Or, la révolution, Dieudonné savait-il ce que c'était ? Qui y croyait encore ? Le mot avait disparu des dictionnaires Larousse comme Robert, et Fidel, barbichette blanche, n'était plus qu'un père Noël sans hotte ni cadeaux. Pour la première fois, Boris se regarda au fond des yeux et dut convenir que sa foi d'antan n'était plus en vie. Ce n'était plus qu'amoncellement de clichés, tas de cendres que n'échauffait nulle braise. Il ne s'était pas aperçu de sa fin et continuait à pérorer à la radio, dans les oreilles de Benjy, de Carla, dans les oreilles de ceux qui avaient la patience de l'écouter. Sans doute, elle n'avait pas résisté à des années de piétinements, d'échecs, de volte-face et elle s'était éteinte à son insu, tout doucement comme un malade dont l'organisme est usé. À force.

Que proposerait-il donc à Dieudonné ?

La question l'effara tellement qu'il fit une embardée, percuta un monticule et se trouva dans une savane, nez à nez avec une vache qui paissait par là. Les touristes sont friands de ce genre de contrastes. Les vaches qui voisinent avec des autoroutes.

La Toyota qui avait son comptant d'âge refusa de repartir et il dut poser pied dans l'herbe moite des rosées nocturnes. Où était-il ? Dans les environs de Bel-Air ? Il se mit à marcher, un peu au hasard. Une fraîcheur humide lui tomba aux épaules. Là-haut, opaques, gonflés de pluie, les nuages filaient vers un coin du ciel. Il se sentit petit, petit, perdu. Mais étrange, illogique, un soudain bien-être l'envahit. C'est comme s'il était revenu au bon temps d'autrefois quand il était libre comme l'air. Pas un sou qui l'appelle maître. Pas de Carla. Pas d'enfant à naître. Pas de P.T.C.R. Rien de rien. Dans son abribus, une fois la nuit venue, il calait son carré de mousse sur la banquette, se pelotonnait, se recouvrait d'un molleton en prévision de la bise du devant-jour. Tous les bruits, toutes les senteurs que l'ombre libère se mélangeaient dans ses oreilles, dans ses narines, et il prenait sommeil dans l'odeur du jasmin, la clameur des crapauds-buffles et des grenouilles, réclamant de l'eau, toujours plus d'eau. Quand le Bon Dieu exauçait leurs prières et les comblait à verse, il pataugeait jusqu'à *La Belle Créole*. Si Rodrigue et ses belles occupaient les cabines, il dormait dans le carré. Il était au sec tandis que, au-dehors, le vent soufflait sa chanson démente.

202

Une nuit de tempête, *La Belle Créole* avait rompu ses amarres et dérivé jusqu'au milieu de la baie de Saint-Christophe. Au matin, à l'embellie, quand il était monté sur le pont, la proue était tournée vers le large comme si elle s'était par trop languie à quai. Comme si la nostalgie des départs, l'envie de courir vers l'horizon, de s'y fondre la tenaillaient. Brusquement, des lumières apparurent dans les razyié. Des dizaines de bougies brûlant à même la terre formaient un tapis de feu. En son mitan, une maison se posait qui semblait descendre du ciel, tournoyant sur elle-même comme une toupie. Peu à peu, sa forme émergeait de l'ombre. Elle flottait, se balançait comme un vaisseau sidéral, puis se posait, rayonnant dans la noirceur tel un diamant dans un écrin de velours noir. Sa galerie était déjà remplie d'hommes, entourant un conteur cabriolant et débitant ses pitreries. Sa cour, de femmes, virevoltant, de lourds trays, chargés de nourriture, en équilibre sur l'épaule. Les jeunes formaient un cercle autour des tambouyés qui chevauchaient leurs ka, aussi massifs, aussi hauts que des pié-bwa et imprimaient leurs battements au cœur de la nuit. Pourtant, la foule ne cessait d'affluer, d'affluer par mille sentiers invisibles, noircissant la savane. La dernière fois qu'autant de monde s'était pressé à une veillée, c'était lors de la mort du musicien Vélocité : des colonnes de fourmis défilaient sur les

203

trottoirs du morne Prudent où il habitait et jusque sur la place des Écarts. Boris se demanda quel grand personnage avait donné congé à notre terre. Il n'avait entendu aucun nom digne d'être retenu aux avis d'obsèques que des speakers lisaient matin, midi et soir sur toutes les chaînes de radio et qu'il suivait religieusement comme chacun dans le pays. Il se mêla aux nouveaux arrivants, écoutant avidement leurs réflexions :

— Si c'est pas malheureux, disait un vieux-corps coiffé d'un chapeau bakoua et chaussé de tennis bien blancs, en le prenant à témoin. Personne ne veut la mort du pécheur. Il avait été acquitté. Maintenant, une nouvelle vie l'attendait !

— Qui ça ? Qui ça ? De qui parles-tu ?

Mécontent de ces questions, le vieux-corps ne répondit pas. Au contraire, il se dépêcha de prendre ses distances et s'éloigna d'un pas dansant. Boris s'approcha de la maison et accepta un bol de soupe grasse des mains d'une des femmes. Un os à moelle nageait parmi les carottes et les navets et il lui sembla que c'était la meilleure soupe grasse qu'il ait jamais avalée. Se pourléchant les babines, il remercia et répéta sa question :

— Mais enfin, dis-moi, qui est mort ? Qui veille-t-on ?

La femme ne répondit pas non plus et, dès

lors, s'écarta vivement de lui ainsi que d'un pesti-féré. À présent, Boris avait la conviction qu'il aurait dû savoir qui on veillait, que cela allait de soi. Il entra dans le salon, guère plus grand qu'un mouchoir de poche, meublé d'une façon apparemment indigne du personnage d'importance qu'on pleurait, quelques berceuses de pacotille, achetées en promotion à Conforama-le-pays-où-la-vie-est-moins-chère. Vu l'affluence, il fallait batailler pour avoir accès à la deuxième pièce, la chambre à coucher. Coiffées de madras de deuil à carreaux violets et noirs, des femmes, identiques dans leurs robes noires, encombraient l'entrée, psalmodiant les paroles familières : « Il y a un temps pour tout ; il y a sous le ciel un moment pour chaque chose. Il y a un temps pour naître et pour mourir ; un temps pour planter et un temps pour arracher ce qui a été planté… » Quand enfin il parvint à ses fins, Boris s'aperçut que la chambre à coucher n'était pas grande non plus, étouffante, éclairée a giorno par des bougies. Sur le lit qui occupait l'essentiel de l'espace, un jeune homme, presque un enfant, reposait. Il portait une combinaison très moderne, coupée dans un tissu de parachute orange qui tranchait avec la blancheur du drap et les couleurs sombres à l'entour. Ce fut ce vêtement peu commun qui attira l'attention de Boris. Il bouscula les gens de droite et de gauche, arriva à proximité de la couche mortuaire : Dieudonné.

Une flèche de douleur, si violente, lui trans-
perça la poitrine qu'il reprit conscience, le nez
sur le volant de sa Toyota, trempé, transi, car les
vitres étaient baissées et la pluie qui tombait
l'avait inondé. Un rêve. C'était un rêve dont les
images s'accrochaient, tenaces et terrifiantes à
son esprit! Il frissonna. Les rêves, disent les
vieilles personnes, sont autant de messages que
le Bon Dieu dépêche aux vivants pour préfigurer
la réalité. Cela signifiait que Dieudonné était en
grand danger. Danger de perdre espoir à jamais
et de donner dos à une vie qu'il croyait barrée.
    La Toyota, vaillante, repartit au quart de
tour. Boris retrouva les circonvolutions de la
corniche. Hélas! Quand il arrêta son engin sur
le morne Julien, les volontaires des milices,
interrompant leur ronde, hochèrent la tête. Oui,
Dieudonné était rentré. Pourtant, presque aussitôt, il était ressorti, courant comme si tous les
diables de l'enfer étaient à ses trousses. Arbella?
L'appartement était plongé dans le noir. Elle
devait dormir maintenant que Milo Vertueux
l'avait quittée. Milo Vertueux? Et puis quoi
encore? Qu'est-ce qu'il avait à voir là-dedans,
celui-là? Boris garda ces questions désobli-
geantes pour lui-même et se borna à s'enquérir
des autres membres de la famille. Étaient-ils
encore là-haut? Les volontaires assurèrent qu'ils
étaient rentrés chez eux depuis belle lurette.
    Où se diriger? Où chercher?

Tristement, Boris allait remonter en voiture quand les volontaires qui ne le lâchaient pas d'une semelle le pressèrent de questions. Lui qui était dans le secret des dieux, que pensait-il? Les gens en avaient par-dessus la tête de la saleté en ville, des grèves qui n'en finissaient pas, de cette violence, de cette insécurité! Était-ce vrai que Benjy avait rencontré ceux du P.P.R.P. et qu'il entendait former avec eux un nouveau parti, le P.P.S.N.? Était-ce vrai qu'à cause de cela, les jours de la départementalisation étaient comptés? Était-ce vrai qu'on allait bientôt aborder à lendépendans? Boris resta sans voix car, d'après Benjy et lui, les concilia-bules entre P.T.C.R. et P.P.R.P. étaient menés dans le plus grand secret. Puis il s'aperçut que la perspective de lendépendans, loin d'exalter ses interlocuteurs, les faisait trembler. Lendépen-dans? Plus de D.O.M.? Partant plus de S.S. Ni de R.M.I. Ni de C.N.A.F. Ni de C.N.A.V. Ni de G.R.I.S.S. Ni de C.R.E.A. Ni d'I.R.C.A.N.T.E.C. Ni d'A.S.S.E.D.I.C. Com-ment allaient se couler les jours sans yaourt Danone, camembert Président, huile Lesieur, papier Sopalin, pâtes Lustucru, biscottes Heu-debert, margarine Astra, biscuits Lu, cassoulet William Saurin, café Jacques Vabre, moutarde Amora, lessive Ariel, couscous Garbit...?

Alors, Boris fut pris d'une saine colère et se mit à injurier ces lâches qui n'arrêtaient pas de faire l'éloge de la marâtre. Laissant les miliciens fichés en terre dans leur surprise, il remonta dans sa voiture et, toujours à tombeau ouvert, il prit la direction de la cité Fleurie.

16

Depuis le début des grèves, l'électricité avait totalement déserté le quartier du Cadenat où, une fois pour toutes, le courant avait été coupé. Là aussi, comme sur la place des Écarts, les chiens régnaient en maîtres. Quand le temps leur paraissait trop chaud, ils dormaient sur les trottoirs, vautrés à l'ombre des maisons. Si la brise fraîchissait, ils se réveillaient et rôdaient, troupe hargneuse, féroce, perpétuellement affamée, fouillant voracement les ordures entassées un peu partout, puisque là non plus les services de voirie ne fonctionnaient pas. On ne comptait plus les enfants qu'ils avaient mordus, poursuivis, effrayés dans leurs jeux. Une fois même, ils avaient dévoré un bébé endormi dans son berceau. Entre puanteur et noirceur, les malheureux habitants du quartier Cadenat ne savaient que faire. Ils avaient commencé par rédiger lettres de protestation sur lettres de protestation à la Compagnie d'électricité, à la mairie, à la sous-préfecture, à la préfecture. Ils avaient même organisé une marche à travers les rues de la ville, puis ils avaient baissé les bras, la débrouillardise prenant la place de la colère. Les hommes avaient d'abord acheté des barres de glace aux stations-service. Hélas! celles-ci fermant peu à peu, les femmes s'étaient mises à saler ou sécher le poisson, la viande quand il y en avait, selon des recettes préservées depuis le tan Sorin. Elles faisaient des conserves de tomates, gombos, fruits à pain. Dès sept heures du soir, de façon astucieuse, on suspendait de grosses lampes à acétylène aux crochets des balcons. Cela ne dissipait pas entièrement les ombres, un ballet de fantômes semblant danser dans les rues. Tout de même, cela valait mieux que les ténèbres. Les bòbòs étaient chagrinées. Elles se plaignaient que cela n'arrangeait pas leur commerce. Les bourgeois ne s'aventuraient plus de leur côté : au lieu de trouver des cuisses accueillantes et des poitrines consentantes au bout de leurs peines, ils risquaient plutôt de se faire détrousser dans toute cette noirceur.

Dieudonné manqua une glissade en s'engageant dans le boyau impénétrable et puant qui séparait le lakou Ferraille de la rue, et gravit à tâtons l'escalier vermoulu. Un chat miaulait assis sur son derrière. Arrivé au premier étage, chambre numéro 5, il cogna de toutes ses forces contre les grosses portes, puis rapprocha ses lèvres des fentes du bois :

— C'est moi ! Laisse-moi entrer, commanda-t-il.

Il ne tarda pas à entendre un grincement, le cliquetis des crochets, puis la clé tourna dans la serrure. Ana apparut, une bougie à la main, plus petite, plus maigre, plus usée que dans son souvenir. Elle se mit sur la pointe des pieds, l'embrassa gauchement et souffla d'un ton passionné :

— Je ne dormais pas, je t'attendais. Je savais que tu viendrais.

Sans répondre, il la suivit à l'intérieur de la chambre, elle aussi plus étroite, plus modeste qu'il ne le croyait, pendant qu'à la hâte elle allumait d'autres bougies et les plaçait un peu partout sur les meubles. Bientôt, la pièce ressembla à une chambre mortuaire avec des formes, des objets indistincts, mouvants, à moitié éclairés. Tout de suite, Dieudonné remarqua le moïse, abrité d'une moustiquaire à côté du lit et se tourna vers Ana :

— Tu as fait un enfant ?

Elle inclina la tête et précisa avec orgueil :

— Un garçon !

Il continua de la fixer :

— C'est qui le papa ?

Comme brusquement, elle avait les yeux en eau, et gardait le silence, il l'interrogea assez sèchement :

— Pourquoi est-ce que tu ne m'as rien dit ?

Elle fondit carrément en larmes :

— Je ne savais pas si ça te ferait plaisir et puis, là où tu étais, tu avais tellement d'autres soucis ! D'accord, ici, ce n'est pas l'Amérique. On ne tue pas les gens pour un oui pour un non. Mais tu risquais gros.

Pendant qu'elle parlait, il s'approcha du moïse, regarda la petite forme endormie sans que l'on puisse deviner ce qu'il pensait et demanda :

— Il s'appelle comment ?

— Werner...

Brutalement, il vira sur elle :

— C'est quel nom ça ? Moi, j'aurais voulu que mon enfant s'appelle Wesley...

Elle murmura d'un ton d'excuse :

— Comment est-ce que je pouvais deviner ? Werner, c'est le prénom de mon père que j'ai perdu trop tôt et que j'adorais.

Il se radoucit et s'assit sur le lit. Alors, elle s'aperçut que ses vêtements étaient déchirés, maculés de sang, sa figure tuméfiée. Elle s'affola :

— Qu'est-ce qu'ils t'ont fait ? Laisse-moi te soigner.

Il eut un sourire triste :

— Non merci ! Toi aussi, tu connais le vodou ?

Le vodou ? Renonçant à le suivre, elle s'assit près de lui et, ne sachant comment lui plaire, proposa :

211

— Tu veux que je te mette des compresses chaudes?

Il s'allongea, posa la tête sur un oreiller et ferma les yeux avec un soupir de fatigue. Malgré son envie, elle n'osa pas le toucher et murmura :

— Tu as reçu mes colis? Est-ce que tu as lu les livres que j'y mettais? Je parie que tu ne les as même pas ouverts! José Saramago : *L'Évangile selon Jésus-Christ*. Quel chef-d'œuvre, hein!

Est-ce qu'elle ne pouvait pas se taire? Sa voix lui était aussi insupportable que la crécelle d'un rara le vendredi saint. Quelle cruauté de la retrouver vive alors que celle qu'il adorait était froide, perdue à jamais. Où était sa tombe? Ce ne serait pas difficile de la retrouver. Au cimetière de Port-Mahault, dans certaines allées, les békés possèdent leurs caveaux de famille, des caveaux monumentaux, recouverts de dalles de marbre noir et blanc, parés de fleurs artificielles et de croix de perle. Dans les cadres, les photographies de matamores gominés, fièrement moustachus, puissants de leur vivant, de femmes languides, si pâles sous leurs chapeaux de paille rappelaient à ceux qui en doutaient que la mort ne respecte personne. Sans doute était-elle couchée là. À moins qu'elle ne repose à Saint-Léger-des-Feuilles dans le même caveau que sa tante et marraine Yolande. Dieudonné se rappela le petit cimetière, perché en équilibre sur les pentes de la montagne sous la canopée des matalpas. Ses yeux s'emplirent de larmes. À la geôle, il l'avait tant de fois imaginé cet enterrement. Il se voyait jetant des roses sur le cercueil. Roses rouges pour symboliser l'amour. Roses blanches pour demander le pardon.

Le timbre nasal d'Ana frappa à nouveau ses oreilles :

— Dis-moi ! Comment est-ce que ça s'est passé ?

Il la fixa durement et elle se hâta d'expliquer, redoutant la méprise :

— Non ! Pas cela !... Je veux dire la prison. Ça n'a pas été trop pénible ? On dit que le nouveau centre pénitentiaire de Basse-Pointe est ultramoderne. La télévision dans chaque chambre...

Il l'interrompit et fit :

— Je meurs de faim.

Aussitôt, elle s'affaira, courant, ouvrant précipitamment une glacière, le garde-manger, la commode, cherchant un verre, une assiette, des couverts au milieu d'un fébrile remue-ménage. Il suivait chacun de ses gestes, s'irritant de la trouver si commune, fadasse, presque laide dans sa robe de nuit de quatre sous.

La dernière fois qu'il avait vu Loraine, c'était le milieu de la nuit, le soir même du départ de Luc. Il n'avait pu attendre plus longtemps et il revenait vers elle, assoiffé, le cœur pantelant. Il ne pensait pas l'avoir trahie. Car ce qui s'était passé avec Luc appartenait à un autre cercle, se situait dans une autre région de lui-même, région périphérique, peu essentielle à vrai dire. Un peu de désir. Un peu de plaisir. Même beaucoup. Tout cela passe. Le quartier dormait, à l'exception de la meute haletante des molosses à l'affût dans les jardins. Comme un cambrioleur, il avait fait l'entour de la villa, vérifiant une à une les issues. Ainsi qu'il s'y attendait, la fenêtre de la salle de bains n'avait pas résisté à sa pression et, l'enjambant, il avait atterri sur la haute moquette couleur de sang qui recouvrait le plancher. Dans la salle de séjour, les lumières étaient allumées, la télévision se parlait à voix haute. Loraine était couchée sur son lit, une bouteille de Glenfiddich à moitié vide posée sur la table de chevet, à côté de son revolver. Elle avait pris sommeil vêtue de sa robe de chambre en lourd tissu éponge et elle ronflait légèrement, la bouche entrouverte, les yeux à demi fermés comme à l'habitude. Quand il avait essayé de la déshabiller, elle avait ouvert des yeux d'abord vagues, d'abord sans fond. Peu à peu, la conscience lui revenant, la colère les avait solidifiés, noircis. Elle s'était redressée, et avait saisi son arme, sifflant :

— Tu as oublié ? Je t'ai dit de ne jamais remettre tes sales pieds par ici.

Quelle surprise ! Pour lui, une fois Luc remonté dans son avion, une fois l'Ange du Mal occupé à conquérir d'autres victimes, car c'est

Luc qui méritait cette appellation, pas le malheureux Rodrigue, lui-même une victime, tout redeviendrait comme avant. Interdit, il avait bégayé :

— Mais il est parti !

Elle s'était assise, criant :

— Couillon ! Est-ce que je ne sais pas qu'il est parti ?

Soudain, des flots de larmes avaient dévalé le long de ses joues, lui rendant la figure puérile qu'elle devait avoir à ses six ans — et c'était pathétique de voir se redessiner l'enfance à travers ces traits usés de cinquante ans. Elle avait continué plaintivement, parlant pour elle-même :

— Il est parti et, comme à chaque fois, il n'a pas voulu m'indiquer l'heure de son vol et il a refusé que je l'accompagne à l'aéroport. J'ai dû lui dire au revoir à la maison. Je sais qu'après m'avoir quittée, il allait réveillonner avec ses copains. Cela m'est égal. La jeunesse, c'est la jeunesse. Dieu sait quand je le reverrai. Des fois, il m'annonce son arrivée et puis, deux jours plus tard, il décommande. Des fois, il débarque juste pour un week-end sans me prévenir et me laisse sans que j'aie retrouvé ma respiration.

Dieudonné bouleversé avait tendu la main pour la caresser. À son contact, elle s'était reculée, pointant à nouveau son arme, hurlant :

— Ne me touche pas !

Il y avait eu un silence. Pour être hors

d'atteinte, elle s'était rencognée jusqu'à l'autre bout du lit, avait enfin posé son arme et avait repris une voix monocorde, à peine distincte, comme si elle était entièrement possédée par son chagrin, entièrement repossédée par un passé dans lequel il ne jouait aucun rôle :

— Luc a été mon élève quand j'enseignais à l'École des arts plastiques. Et élève plus doué, je n'en ai jamais connu. C'était d'autant plus miraculeux qu'il débarquait d'un trou, le morne Vert où il avait pris des cours de dessin avec un prêtre au presbytère. Estomaquée, je lui ai fait avoir une première bourse, ce qui l'a mis sur les rails. Il est sorti premier de l'École d'arts de la Martinique. Ensuite, je l'ai aidé à obtenir une deuxième bourse Guggenheim et il est parti pour les États-Unis. Un jour, c'est moi qui te le dis, on entendra parler de lui. Et les gens de ce pays qui n'arrêtent pas de se dénigrer seront bien étonnés d'apprendre qu'ils ont enfanté un génie, que Gauguin s'est réincarné au morne Vert comme le Dalaï-Lama dans les montagnes du Tibet. Il y a un an, c'était sa première exposition à Soho, il avait des articles plein les journaux et, pour célébrer cela, je l'ai rejoint à New York. Je voulais aussi lui acheter un appartement. Il ne m'avait rien demandé. Il ne me demande jamais rien. Ceux qui disent qu'il est avec moi pour l'argent ne sont pas seulement des malparlants. Ce sont des imbéciles qui s'imaginent que l'esclavage est toujours vivant, qui ne peuvent pas concevoir qu'un nègre de ce pays peut aimer d'amour une békée, un homme jeune, une femme âgée. Qui veulent édicter des lois, des commandements même pour le cœur, même pour le sexe. Nous avons parcouru Manhattan depuis le Village jusqu'à l'Upper West Side, de Riverside jusqu'à F.D.R. Drive. Finalement, nous nous sommes décidés pour un penthouse tout en bas de la ville, à Water Street. Au trente-quatrième étage. Nous dormions, nous faisions l'amour sous les yeux curieux de l'Empire State Building, sur la toile de fond des avenues zébrées de phares de voitures. Le midi, j'allais le chercher à son école et les Américains, sans gêne comme ils le sont, lui demandaient : "Is she your mother?" Il affirmait que oui et courait m'embrasser en plein sur la bouche. Tu aurais vu la tête des gens ! Tu vois, Luc, c'est le cadeau que le Bon Dieu m'a donné au dernier moment, alors que je n'attendais plus rien de rien de l'existence.

Sous le coup de trop de douleur, il avait gémi :

— Et moi alors ? Qu'est-ce que je suis pour toi ?

— Viens à table, ordonna Ana, mettant les pieds sans façon dans son rêve.

Elle avait préparé des tomates au sel, un sandwich au thon — un vrai repas d'Américaine ! —, et il attaqua cela du bout des lèvres. À ce moment, Werner cria dans son berceau. Elle courut vers lui, le prit dans ses bras, puis l'emmena vers Dieudonné. À la manière dont elle le portait, on devinait sa fierté. À ses yeux, c'était sa plus belle création, celle qui donnait du sens à une vie autrement ordinaire, sans rime ni raison. Il faut avouer qu'elle n'avait pas tort. C'était un enfant magnifique. Dodu, ferme, rieur, les yeux fendus en amande. Il avait la peau très noire de Dieudonné, ses yeux kako aussi. Don de sa mère, un reflet de blondeur coloriait ses boucles. Dieudonné saisit gauchement sa petite main. Les bébés le mettaient mal à l'aise. Est-ce la nostalgie du ventre de leurs mères, paradis qu'ils ne regagneront jamais, qui les rend nerveux, agités, fantasques? En outre, il éprouvait une profonde pitié, pensant aux kilomètres d'océan qu'ils devraient traverser, ballottés sur des creux, des lames, des vagues prêts à engloutir leur frêle esquif de navigateur solitaire. Cependant, celui-là au moins avait sa maman qui saurait le protéger, le guider. À la différence de Marine, Ana possédait de l'instruction. Et puis, elle était née dans le camp des vainqueurs. Il suffirait qu'elle ramène Werner chez elle pour que sa vie soit métamorphosée, pour que mille portes s'ouvrent devant lui. Il l'interrogea brutalement :

— Pourquoi est-ce que tu restes dans ce

pays ? Pourquoi est-ce que tu ne retournes pas chez toi, aux États-Unis ?

Elle se troubla :

— Je n'ai jamais vraiment considéré les États-Unis comme mon pays, ce qui n'est pas original. C'est une terre où tout le monde vient d'Ailleurs, se raccroche à un Ailleurs. Celui-ci vient d'Irlande, celui-là de Pologne, cet autre de Russie et tous chérissent le fantasme du lieu d'origine de leurs ancêtres. Pourtant, je sais que j'ai beau rêver, je ne pourrai jamais revivre en Allemagne. Je ne pourrai que retourner aux États-Unis. Là, il y a tellement d'universités que je finirai par trouver un poste d'anthropologue dans un bled perdu. Mais cette vie étriquée, restreinte, que j'ai connue toute mon enfance, me fait peur.

Il ricana :

— Et ici, c'est différent ?

Elle balbutia, avançant les pauvres arguments qu'elle s'était répétés cent fois, consciente qu'ils étaient juste bons à figurer dans des dépliants touristiques :

— D'abord, il y a la beauté du cadre. Des fois alors que tout le monde dort encore dans le lakou, je prends Werner, et je marche avec lui jusqu'au bord de la mer. On ne distingue rien. Le paysage semble enveloppé dans une boule de coton. Brusquement le soleil se lève. La boule se déchire et le paysage s'illumine.

Il l'écoutait un peu moqueur, continuant de grignoter son sandwich sans entrain. Werner, dont personne ne s'occupait, se mit à pleurer. Ana s'interrompit, s'affaira de nouveau, dénudant un beau sein ferme, élastique qui surprit Dieudonné. Les seins de Loraine, quant à eux, étaient flétris, des outres de peau molle. Elle s'en moquait, à sa manière habituelle :

— Tu vois, ce sont des coussins qui ont trop servi. Trop d'hommes y ont appuyé leur tête pour pleurer, ont fait semblant de me confier le fin fond de leur cœur alors que, de leur part, c'étaient menteries.

Une maman tend le sein à son bébé. Le père regarde. N'est-ce pas l'image du bonheur? Image conventionnelle et menteuse. Dans la réalité, tout se passe autrement. Le père n'aime pas la mère, n'aime pas le bébé.

Tandis que l'enfant tétait bruyamment, Dieudonné tentait de se remémorer. Vraiment, il avait fait l'amour avec cette femme? Il y avait goûté du plaisir? Il était à lui, cet enfant? Sorti de son sperme? Même s'il lui reconnaissait ses traits, ses yeux, sa bouche, il ne ressentait pas la moindre affection pour ce petit braillard. Pas le moindre sentiment de responsabilité. Aucun mouvement de son cœur ni de son corps. Ce détour l'amena encore à Milo Vertueux. Ainsi, c'était lui! Le secret avait été bien gardé. Il ne s'était jamais douté de rien. Tout petit, l'envie le

220

démangeait de pouvoir nommer son papa. En grandissant pourtant, il s'était guéri de cette grattelle. À présent, incontrôlable, l'idée, plus que le désir de le tuer, pour tout le mal que son absence, son déni de paternité avaient entraîné, le possédait. Le salaud, s'était-il senti coupable de la mort de Marine ? Après Hugo, on ne voyait, on n'entendait que lui à la télévision, à la radio. Éprouvait-il plus de pitié pour le saccage des bananeraies que pour celui qu'il avait causé dans la vie de son ancienne maîtresse ?

Arbella affirmait sottement qu'il voulait réparer. Ce serait trop facile si la vie pouvait se recoudre comme un vêtement déchiré !

En même temps, une jubilation amère l'emplissait. Il n'était pas un rien du tout. Sans s'en douter, il était lié au monde des nantis. Est-ce pour cela qu'il ne l'avait jamais haï à la manière de Rodrigue ou de Boris qui, par des voies différentes, ne rêvaient que de le détruire ? Lui menait sa vie, concentré sur lui-même, n'éprouvant ni rage ni envie à l'endroit de personne. Petit, lui, le fils de la bonne, il n'était pas gêné parmi les enfants de médecins, directeurs de compagnie, pilotes de ligne que les Cohen fréquentaient. Une fois qu'un de ces charmants blondinets avait refusé de jouer avec le petit noir, il avait passé son chemin, laissant David et Benjamin se battre pour son honneur. Il avait toujours deviné — et sa relation avec Loraine lui en avait apporté la preuve — que la solitude et le deuil, l'angoisse et l'insécurité habitent les kaz-nèg comme les habitations des maîtres, se couchent pour dormir dans la majesté des lits à baldaquins aussi bien que sur les kabanns, fabriquées d'un empilement de hardes. Rien ne protège des morsures de cette enragée qu'est la chienne de vie. Il repoussa son assiette :

— Écoute ! Je vais m'allonger un peu.

Elle proposa de nouveau vivement :

— Est-ce que tu ne veux pas que je te mette des compresses ? L'eau chaude te détendra.

Il fit non de la main. Loin de lui plaire, son empressement, sa servilité l'irritaient et il ne pouvait se retenir de marquer la distance. Les femmes, il les avait toujours servies. Marine d'abord. Puis, Loraine qui, bien que valide, était incapable de se verser un verre d'eau, de tourner le bouton d'un appareil de télévision, de changer un C.D. Il tenta d'ôter sa chemise, y renonça, car de plus en plus elle collait à ses blessures, et s'allongea tout habillé. Au moment où il fermait les yeux, où il allait sombrer dans le sommeil, la voix de Loraine décocha à nouveau la flèche qui s'était plantée irrémédiablement dans le mitan de son cœur :

— Luc, c'est le cadeau que le Bon Dieu m'a donné alors que je n'attendais plus rien de rien de la vie.

Il s'endormit en pleurant, répétant la sempiternelle question :

— Et moi? Qu'est-ce que je suis pour toi?

Restée à la table, Werner entre les bras, Ana regardait cet étranger qui prenait place dans son lit. Qu'est-ce qu'elle avait espéré? Qu'il la prendrait dans ses bras en lui murmurant des mots d'amour? Qu'il serrerait son fils contre lui dans un élan de paternité? C'est seulement dans les films de Hollywood que ces choses-là se passent. La réalité est plus amère. Sans doute, de son côté, elle ne pensait qu'à lui. Sans doute, pendant près de deux ans, semaine après semaine, elle lui avait amoureusement ficelé et expédié des colis. Sans doute, jour après jour, elle avait suivi son procès, s'irritant de la balourdise de Maître Serbulon qui ne peignait les choses qu'en noir et blanc. Pourtant, il était visible qu'il n'attachait aucun prix aux brefs moments qu'il avait passés avec elle. En avait-il vraiment souvenir? Une émission de sperme. Un œuf fécondé au fond d'un vagin. Le tour est joué. Aujourd'hui, elle semblait l'importuner. Allait-il rester auprès d'eux, faire la vie avec eux? Elle ramena l'enfant endormi dans son berceau, souffla les bougies à l'exception de celle de la table de chevet et revint s'asseoir dans la pénombre, la tête entre les mains. Ce n'était pas étonnant si Dieudonné l'avait trouvée amaigrie et vieillie. Elle n'avait pas été facile, l'année écoulée!

Malgré les discours qu'on tient dans tous les

pays sur la libération de la femme et le droit pour chacune de décider de sa maternité, une étrangère ne doit pas ressembler à une femme tombée. Elle ne doit pas pousser devant elle un ventre à crédit dont on ne sait quel va-nu-pieds lui a fait cadeau. Dès que son état avait été visible, les amis américains d'Ana l'avaient fuie. Ce n'était pas simplement sa grossesse. C'est qu'une rumeur tenace circulait que, honte des hontes, elle était enceinte du S.D.F., Boris. On l'avait vu au lakou Ferraille. On jurait qu'ils se retrouvaient à *La Belle Créole*. Du jour au lendemain, la moitié des lycéens avaient aussi abandonné son école. La chambre de commerce avait mis fin à son contrat tandis que les hommes d'affaires, qui l'avaient tellement fêtée, lui fermaient leurs bureaux. Non seulement, elle avait connu la solitude, l'exclusion, mais encore elle serait morte de faim sans de courageuses traductions par correspondance. Seules les bòbòs et son amie Eudoxia lui étaient demeurées fidèles. On aurait dit que l'enfant à naître allait sortir du ventre de l'une d'entre elles, et qu'il soit sans papa connu ne changeait rien à l'affaire. Elles ne s'étaient pas procuré une krèye de poissons sans offrir une tanche ou une grande-gueule à Ana, un sac de riz sans lui réserver quelques kilos. Elles avaient coupé en deux l'igname ou le dasheen, partagé le lot de pois d'Angole et de patates douces. Les derniers mois, elles s'étaient relayées pour dormir dans sa chambre. Quand les douleurs l'avaient prise, elles l'avaient emmenée en groupe à la maternité, attendant dans le couloir debout sur leurs hauts talons, que, la bouche pincée, une sage-femme ait l'idée de leur signifier que le bébé était passé comme lettre à la poste, et qu'à neuf heures trente du matin, Werner Alexander Rumpf avait fait son entrée dans notre monde. Alors, elles avaient battu des mains :

— ¡Es un niño, un niño! Qué maravilla!

Cela avait donné lieu à de grandes réjouissances qui s'étaient répétées quand Ana avait retrouvé sa chambre et surtout, un mois plus tard, le dimanche du baptême à l'église du quartier, l'église Saint-Laurent. Eudoxia en tailleur de taffetas grenat avait tenu le petit tandis qu'il broutait son sel et le parrain était Isaac, le locataire du 17, un Saint-Lucien, peintre en bâtiment, dealer à ses heures. Après sa grossesse, Ana avait tenté de se refaire une clientèle, se ruinant en dépliants et prospectus, les expédiant par la poste, ou bien chargeant les bòbòs de les glisser à leurs clients. Tout cela, en vain ! Quand les hommes d'affaires la rappelaient, c'était pour la traiter sans ménagement comme une dame-gabrielle et lui mettre la main au derrière en signifiant crûment ce qu'ils espéraient d'elle ! Si elle avait tenu contre vents et marées, c'était grâce à Dieudonné. Elle ne savait pas combien d'années

225

il allait passer en prison. Dix ans, quinze ans. À sa sortie, tignasse grisonnante, elle serait là pour l'accueillir. Elle saurait lui prouver que toutes qualités de femmes fleurissent sous l'œil du soleil. Pas seulement des dépravées comme Loraine. Pas seulement des feignantes, vicieuses, crochues. Mais des vaillantes, des droites. Or, maintenant qu'il était là, si près d'elle, elle s'apercevait que rien ne les liait l'un à l'autre. Ni elle ni Werner n'occupaient la moindre place dans son cœur. Peut-être ne s'y frayeraient-ils jamais un chemin.

Elle se mit à pleurer, trouvant paradoxalement un réconfort dans ces larmes silencieuses qu'elle versait si rarement, dans l'excès de cette faiblesse qu'elle ne voulait jamais s'avouer. Puis, elle se ressaisit, entraînée qu'elle était par toute une éducation à « penser positif » ! Le père, à l'image du fils, était endormi sous son toit. Comme elle l'avait espéré, le lakou Ferraille était le refuge qu'il s'était choisi.

Au matin, il serait grand temps de faire des plans pour l'avenir.

Elle souffla la dernière bougie et rejoignit son lit.

17

— Minuit, se dit Milo. Il ne viendra plus.

Il éprouvait un réel soulagement, comme

celui qui voit se conclure par l'échec une action qu'il ne désirait pas, à laquelle il a été contraint. Une à une, il éteignit les lumières du living-room et s'engagea dans l'escalier. Dans sa villa dont il était très fier, les chambres à coucher, six en tout, chacune flanquée de sa salle de bains, étaient situées au premier étage. Un escalier en colimaçon menait au galetas où étaient aménagés deux confortables studios. Avant sa mort, sa mère qu'il avait idolâtrée, avait occupé l'un d'entre eux. Mais elle était restée an moun-bitation, une maraîchère des Grands-Fonds, dure à la peine, elle ne s'était jamais habituée au luxe et à l'ostentation de l'endroit.

Contrairement à ce qu'il avait affirmé à Arbella, Milo n'avait rien avoué à ses filles. Même s'il l'avait voulu, la confession aurait été difficile. Chaque fois qu'elles voyaient la figure de Dieudonné à la télévision ou dans les pages de *France-Caraïbe*, les quatre adolescentes s'excitaient :

— Regarde-moi s'il est beau! Il ressemble à Lenny Kravitz!

Qui était Lenny Kravitz? se demandait Milo. Il ne comprenait jamais rien aux conversations de ses filles. Mona, l'aînée, la plus jolie, mais aussi la plus mal sortie qui tenait de la mère de Milo, rageait :

— Depuis qu'ils sont beaux comme ça, c'est après les blanches qu'ils courent! Les filles de

227

couleur ne sont plus assez bonnes pour eux! Il leur faut des blondes! Tant pis si ce sont des boudins! Parce qu'il faut reconnaître que cette vieille békée, c'était un boudin.

Maryvonne, la cadette, n'était pas de cet avis et pensait que Loraine, malgré son âge, ne manquait pas de classe. Elle affirmait qu'elle ressemblait à Glenn Close dans *Liaison fatale*. À Glenn Close! se récriait Mona. Non, il vaut mieux être sourd qu'entendre des bêtises pareilles! La discussion s'échauffait de plus en plus jusqu'à ce que leur père, qui n'en pouvait plus, les fasse taire.

En fait, on peut affirmer que Milo avait menti à Arbella sur toute la ligne. Au cours des années, il n'avait jamais écrit une ligne à Marine pour lui offrir de se charger de l'éducation de leur fils. À la vérité, c'était Arielle, sa femme, chrétienne scrupuleuse, à la messe tous les matins, à confesse tous les vendredis, à la Sainte Table tous les dimanches, qui l'avait convaincu de la nécessité d'expier son péché. Dès qu'elle avait débarqué de sa Martinique natale et l'avait épousé, quelque vingt ans plus tôt, les bonnes âmes, hésitant entre malveillance et compassion, lui avaient chuchoté l'existence de ce bâtard non reconnu et totalement abandonné. Cela ne l'avait pas dégoûtée de Milo. Un homme n'est pas une femme. Si celle-ci se doit d'être intacte, lequel vient au mariage sans charroyer derrière lui son comptant de bâtards? Simplement, elle avait fait son devoir et n'avait jamais cessé de lui répéter :

— Tu es responsable. Au jour du Jugement Dernier, le Bon Dieu ouvrira Son Livre et te demandera des comptes. Qu'est-ce que tu Lui diras pour ta défense?

Après le triste accident de Marine, elle s'était faite persuasive. Quelques années plus tard, sa mort l'avait rendue impatiente, insistante. En vain. Le récent drame qui avait illustré Dieudonné avait changé ses sermons et ses pieuses exhortations en imprécations, tant et si bien que Milo avait fini par prendre le chemin de chez Arbella. Sous les apparences d'un couple sans fissures, respectable et unanimement respecté dans la bourgeoisie locale, Milo et Arielle formaient un curieux attelage. Milo vivait dans la terreur d'Arielle. Cet homme tonitruant, taillé en géant, qui tutoyait les Premiers ministres du gouvernement français et recevait les préfets à sa table, avait peur des jugements de cette mauviette, de la manière lucide dont elle lisait la vanité, les lâchetés et l'égoïsme dans ses actions. Lui, si cavaleur dans sa jeunesse, il avait renoncé à la tromper, car il lui suffisait de commettre la plus petite escapade pour que son intuition l'en informe aussitôt et qu'elle le traduise devant elle, comme un collégien. Il ne se sentait le maître que lorsqu'ils faisaient l'amour, ce qui, vu leur âge et sa dévotion grandissante, devenait hélas de plus en plus rare. Milo entra dans la chambre à coucher où Arielle, ses cheveux de soie graissés pour la nuit et roulés en quatre « choux », ce qui lui donnait l'air à la fois jeunot et vieillot, lisait l'*Imitation de Notre-Seigneur Jésus-Christ*. Il soupira :

— Tu vois, il n'est pas venu.

Arielle ferma le livre saint, rangea ses lunettes dans leur étui et fit avec tendresse, car le mystère était qu'elle chérissait Milo comme au premier jour de leur union, malgré sa charge de défauts :

— Ça t'arrange, n'est-ce pas ?

Puisqu'elle avait vu clair en lui, il décida d'être sincère et avoua :

— Oui, je ne suis pas prêt. Je fais cela, parce que tu remplis ma tête avec des histoires de Bon Dieu, Bon Dieu. Mais je ne sens rien pour lui. On n'appelle pas fils un garçon qu'on n'a pas vu grandir, qu'en somme on ne connaît pas !

Il n'ajouta pas que sa liaison avec Marine ne lui laissait guère de bons souvenirs. Soit, c'était une sacrée négresse ! Dans sa jeunesse, elle aurait mis le feu à un bénitier et leurs nuits flambaient. Mais elle était coléreuse, exigeante, toujours à babier, à l'accuser brutalement d'avoir menti, de ne pas avoir de parole, de ne pas tenir ses promesses. Quand ils avaient rompu, elle l'avait fait suivre par un de ses malabars de frères dont la main ne quittait pas un coutelas. Quand il s'était marié à Arielle, elle l'avait averti qu'elle mettrait le feu à ses plantations. Alors, il l'avait prévenue qu'il avait le bras assez long pour la faire enfermer à l'asile ou à la geôle. Menace pour menace! Il s'approcha de la fenêtre et regarda la rue, éclairée par les puissants projecteurs disposés au faîte des murs d'enceinte des villas. Tenant leurs chiens en laisse, les vigiles gardaient le doigt sur la gâchette. La scène était cauchemardesque. On aurait dit qu'on s'apprêtait à tourner un film d'action américain : *Mission impossible* ou *Mission sur Mars*. Enfin, que valait ce gouvernement? Au lieu d'envoyer des renforts de policiers, de gendarmes, de C.R.S., l'armée s'il le fallait, au lieu de mettre à la geôle Benjy et les autres trublions de son espèce, il parlementait, il dialoguait, mot nouveau, il chargeait deux députés de gauche de rédiger un rapport sur la situation dans les Caraïbes! Ah, non! Le pouvoir n'était plus le pouvoir! Il n'avait pas pris autant de gants pour liquider les rebelles indépendantistes des années soixante! Arrestations, lourdes peines! Si cela était survenu du temps du défunt président, son ami personnel, il aurait déjà pris son téléphone pour lui dicter la conduite à suivre. Hélas! Les nouveaux élus n'écoutaient personne, ils croyaient tout savoir. Des communistes et des écologistes faisaient la loi à l'Assemblée nationale!

Dans son dos, Arielle interrogea :

— Est-ce que tu as parlé à Julius Rangoon ? Lui as-tu proposé qu'il fasse chez lui son service communautaire ?

Qui pourrait venir à bout de l'obstination de cette femme ? Milo revint sur ses pas et lui fit front :

— Non, je n'ai rien dit à Julius. Il faut d'abord que je le voie, ce Dieudonné, que je lui parle ! Qui dit qu'il voudra travailler dans une exploitation agricole ? Ce n'est pas une partie de plaisir, je te jure. Ça veut dire se lever à quatre heures du matin...

Elle l'interrompit :

— Il connaît le travail de la terre. Il était jardinier, non ?

Milo fit avec dérision :

— Jardinier, tu parles ! Un prétexte pour pouvoir s'introduire dans les villas et baiser les femmes qui n'étaient pas dégoûtées ! Ce n'était sûrement pas une vocation. Les jeunes d'aujourd'hui sont des feignants qui ne veulent rien faire ! Tout ce qui les intéresse, c'est de rouler en B.M.W. et de téléphoner sur un portable !

À Arielle, pur fleuron de la bourgeoisie mulâtre citadine, Milo ne perdait pas une occasion de rappeler son enfance paysanne. Il se vantait d'avoir dormi quatre heures par nuit pendant des années, de s'être levé dans le devant-jour pour donner à boire aux bêtes, les attacher dans la savane aux herbes mouillées de rosée, coupantes comme lames de rasoir. Ensuite, il partait arroser des hectares de salade, tomates, choux, carottes. Souvent, pour tout repas, il se remplissait le ventre avec des mangots. Quand il était entré en sixième au lycée Victor-Schœlcher, les élèves feignaient de se boucher le nez à cause de son odeur. Jusqu'à ses vingt ans, on l'avait appelé « bitako ». À l'en croire, la race des familiers des mœurs de la terre avait fini avec lui. Il demanda gravement, car cette pensée l'avait toujours préoccupé :

— Enfin, est-ce que tu n'as pas peur de ce qu'il a fait à cette femme ? Tu le laisserais rôder autour de nos filles ? Je te dis franchement que cette idée-là ne me fait pas plaisir.

Arielle éteignit sa lampe de chevet, s'allongea sur le côté et prononça d'un ton résolu :

— Notre-Seigneur Jésus-Christ a pardonné à Pierre qui l'a renié trois fois !

Milo protesta :

— Le Bon Dieu a ordonné aussi : "Tu ne tueras point !"

Elle eut alors la réponse la plus surprenante pour une chrétienne comme elle, voire la plus choquante :

— Je crois qu'elle a mérité de mourir comme elle est morte.

Il la regarda atterré et elle s'expliqua posément :

— Ce n'est pas parce que c'était une békée, malgré tout le mal que ces gens-là nous ont fait et qu'ils n'ont jamais reconnu. Chez moi, à la Martinique, j'entendais des békés se vanter : "Nous avons fait beaucoup de bien à ce pays!" Ils le croyaient dur comme fer. Si je dis cela, c'est parce que c'était une mauvaise personne.

Comment pouvait-elle en être si sûre ? Il avait quelque peu suivi le procès. Ce n'était pas cette impression-là qu'il s'était formée de Loraine. À ses yeux, c'était une paumée, gâtée par l'ivrognerie, l'oisiveté et son excès d'argent. Si, comme sa mère, elle avait dû batailler pour nourrir son garçon, elle aurait considéré l'existence avec d'autres yeux. Il n'avait pas été du tout convaincu par le scénario de Maître Serbulon. Maîtresse, esclave, c'était du passé. La société avait changé et, en plein vingtième siècle, personne ne croyait plus à ces bêtises-là. Milo avait sa théorie. L'avocat avait insisté sur le fait que l'argent n'était pas le mobile du crime. À preuve d'après lui, le coffre de la chambre dont le contenu était resté intouché ! Cela ne voulait rien dire. Peut-être Dieudonné était-il un incapable qui, tout simplement, n'avait pu venir à bout de sa combinaison. Maître Serbulon avait escamoté un fait important — sûrement à dessein —, c'est que le meilleur ami de Dieudonné, un dénommé Rodrigue, était un braqueur de première. Quelques jours avant le drame de l'allée des Amériques, il avait lui aussi commis cambriolage et assassinat. Ces mauvais coups étaient certainement liés. C'est probablement ensemble que les compères avaient dressé leurs plans, imaginé leurs forfaits. Or, sans procès tapageur, Rodrigue avait été condamné à vingt ans de réclusion criminelle. Dieudonné acquitté! Pourquoi deux poids, deux mesures pour ce couple de scélérats, de dangereux bons à rien?

Finalement, il se déshabilla et se mit au lit.

À son côté, perdue dans ses oreillers, Arielle gardait le silence : il savait qu'elle récitait sa prière de la nuit. Quel malheur quand le Bon Dieu se creuse une place dans le lit conjugal, se couche entre une femme et son époux!

Au moment où il allait s'endormir, tout marri, la figure de Dieudonné vint reposer sur son inconscient comme une photographie fixée par quatre punaises à une cloison. Il ne lui avait pas échappé qu'Arbella, qui n'éprouvait guère de tendresse pour son petit-fils, n'avait rien envisagé pour son avenir. Pour la première fois, il se demanda si Arielle n'avait pas raison de souligner sa responsabilité dans ce drame. Son propre père avait peu compté dans sa vie. C'était un important cultivateur de bananes qu'il apercevait le dimanche à l'église, digne et ventripotent ainsi que l'exigeait sa position, accompagné de sa femme et de sa trâlée d'enfants légitimes. Quand il avait commencé de se faire un nom, ce personnage considérable s'était enfin soucié de lui. Ils s'étaient fâchés quelques années plus tard quand Milo avait créé l'Association des planteurs de cultures vivrières, ce fils remuant lui faisant décidément trop d'ombrage. S'il n'avait jamais souffert de cette indifférence, puis de ces volte-face, c'est qu'à tout moment il avait été entouré de la dévotion de sa mère. Le malheureux Dieudonné, quant à lui, n'avait place dans aucun cœur.

Sans enthousiasme, Milo se promit de retourner chez Arbella le lendemain.

Les premières douleurs prirent Carla peu avant minuit. Toute la journée, elle avait traîné son ventre lourd et incommode. Elle avait bu des litres d'eau, car elle était constamment assoiffée. Un incendie dans sa gorge. Quand tout commença, elle ne s'affola pas. Depuis une semaine au moins, son sac de layette était au complet. L'eau de Cologne sans alcool, la poudre de talc, la Diadermine. Les gilets de coton, les casaques bleues, l'échographie n'ayant laissé aucune place au doute. Le mystère comme la vitesse, c'est dépassé. Aussi, Boris et Carla n'ignoraient pas que ce serait un garçon. Les chaussons, les couches Pampers. Elle avait déjà enfanté deux fois. Mais cette fois, ce serait différent. Elle songeait à la troupe inquiète qui l'avait escortée à l'hôpital de Bologne et, par contraste, elle avait l'impression que jamais elle n'avait été aussi esseulée. Où était Boris ? Pourquoi n'était-il pas auprès d'elle ? Les maternités sont remplies de pères qui veulent tout partager avec leurs compagnes. Aldo, son premier mari, voulant compenser son incapacité à porter leurs enfants, à les sentir remuer au plus profond, et puis à s'en séparer en un épilogue sanglant, ne l'avait pas quittée une seconde. Des premières douleurs à la délivrance. Or, une fois qu'elle avait prié Boris d'être à côté d'elle en salle de travail, il avait répondu sèchement :

— Les hommes de chez moi ne font pas cela !

Elle s'était consolée de cette rebuffade en se disant qu'il cachait sans doute la peur sous sa brusquerie. La peur du sexe incontrôlable des femmes. Ce sexe contradictoire qui d'abord génère la jouissance, puis, en fin de compte, l'horreur !

Accoucher si loin de chez soi ! Sans une parente, une amie d'enfance ou de longue date pour se pencher sur elle. Sans pouvoir exprimer sa douleur dans sa langue maternelle, obligée pour se plaindre d'emprunter un idiome étranger ! Les visages de sa mère, de ses tantes, de toute la smala des femmes lui revenaient. Hélas ! Celles-là qui l'aimaient ne pourraient pas l'approcher. Elle serait entourée d'indifférents !

Au début, autour d'elle, tout enchantait Carla. Un bain de mer, l'odeur du sable cuit et recuit au soleil et des amandiers-pays, la saveur iodée des mangues, les bananes fondant sur son palais. Même la musique de zouk entendue à longueur de journée ne l'importunait pas. La villa sans grâce où elle avait emménagé avec Boris à deux pas de celle de Benjy la ravissait. Elle soignait amoureusement ses plates-bandes, plantait des arums et des alpinias, faisait pousser un jardin potager. Puis, sans transition, tout avait changé, elle s'était retrouvée en enfer. Ce n'était pas la situation du pays qui lui pesait, les grèves pour un oui pour un non, les pénuries, la violence même. Elle pensait, au contraire, que toutes les armes sont bonnes à un peuple pour gagner sa liberté. Depuis trop longtemps, ce pays était sous tutelle. Il fallait qu'il s'affranchisse. Le problème, c'était qu'aucun lien ne l'attachait plus à Boris. Elle avait découvert et aimé un poète fou, un rêveur impénitent, un marginal. Elle se retrouvait mariée à un sosie de fonctionnaire, sentencieux, convaincu d'œuvrer pour une mission capitale. Avait-il oublié que la mission capitale est la fidélité à son moi ? Elle avait pris en grippe l'inséparable Benjy comme s'il était responsable des changements survenus en celui qu'elle aimait. Pourtant, au fond d'elle-même, elle savait qu'il n'en était rien. C'était à cause d'elle, à cause de son bien-être, à cause de leur fils à naître, que Boris s'était si laidement métamorphosé. Quels choix épouvantables la vie vous impose ! D'une part, la créativité, la fantaisie, la liberté. D'autre part, la lourdeur et la sujétion bureaucratiques. Ce piège ne connaissait pas d'issue.

Quand les douleurs s'accélérèrent, elle téléphona à Inis, la seule personne avec qui elle soit liée d'un semblant d'intimité. De partager leurs maris avec le P.T.C.R., cette maîtresse capricieuse et exigeante, avait rapproché deux femmes qu'a priori peu de choses réunissaient. L'une, Européenne, intellectuelle, fière d'un long passé de journaliste. L'autre, mère de famille sans trop d'instruction qui n'avait jamais quitté sa krazur de terre, toute dévouée à l'éducation de ses garçons. Les week-ends, pour échapper à la solitude, Carla accompagnait Inis dans les profondeurs de Haute-Terre, à Maraval où habitaient sa maman, mère célibataire, une de ses sœurs, divorcée, et ses filles. Là, dans cette commune rurale, perdue sous les pié-bwa de la forêt dense, elle se retrouvait parmi des femmes sans hommes dont la vie s'honorait de tâches sans éclat : cuisiner, élever des enfants, tenir une maison. La journée se passait à s'asseoir en rond autour d'une table, faire réciter des leçons, corriger des devoirs. Au serein, on se promenait le long des traces bourbeuses sous le dais échevelé des arbres. On dînait de soupes grasses. Échange de bons procédés. La mère d'Inis lui avait appris à préparer le court-bouillon et le colombo de cabri. Elle l'avait initiée aux saveurs de l'huile d'olive, aux lasagnes et aux artichauts à la romaine. À chaque fois, elle se demandait si là ne résidait pas l'essentiel du bonheur ; si sa quête du parfait compagnon n'était pas irréaliste.

Inis, qui pourtant n'avait pas dormi deux heures, s'amena en souriant et, sans paroles inutiles, s'empara des effets de Carla, la soutint pour sortir de la maison. Les vigiles interrompirent leur ronde pour éclairer le chemin et les escorter jusqu'à leur voiture. Inis prit le volant. D'abord, l'espace d'un moment, la lueur des phares éclaira la débandade de rats, hardis, aussi gros que des chats. C'était la désolation. Les rats proliféraient tout partout. En plein jour, on les voyait se promener à la queue leu leu ou en paires d'amoureux. Les médecins les redoutaient plus que les chiens, prévoyant à cause d'eux les pires épidémies. À défaut de ramassage, ils conseillaient des épandages de chaux vive sur les ordures. Hélas, la chaux que fournissaient les carrières du Nord commençait à manquer. Des petits malins s'enrichissaient en allant l'acheter en Dominicanie et en la revendant à prix d'or. Ensuite, la voiture s'engouffra dans la tranchée noire de l'autoroute. Pour oublier ses douleurs, Carla s'efforçait de penser à son enfant, qu'elle imaginait aussi souffrant qu'elle, apeuré, tapi au fond de ce refuge qu'il avait cru éternel, mais qu'inexorablement la nature l'obligeait à quitter. Comment lui signifier que, aussitôt son terrible voyage accompli, la tiédeur du sein de sa mère s'offrirait à lui? Elle passa la main sur son ventre cabossé comme si le petit inconnu qu'elle portait pouvait sentir sa caresse. On traversa le quartier Petit-Paradis. Les pneus d'automobiles qui flambaient sur les trottoirs illuminaient la nuit et rappelaient l'autrefois. Quand Port-Mahault n'était qu'un ramassis de cases en caisses à savon, chaque nuit, des quartiers entiers brûlaient. C'était la terreur des malheureux qui risquaient leur vie pour sauver une méchante paillasse, une table, une commode en bois blanc et les flammes éclairaient des figures en pleurs, fascinées cependant par ce rappel du feu des origines. La masse de l'hôpital, rougeoyant de toutes ses lumières sur son morne, dominait la ville. Il n'était pas gardé puisqu'il n'abritait que la maladie, la souffrance, l'insomnie, la mort, denrées qui ne se convoitent pas. Un vieux gardien, emmitouflé d'une laine, dormait à côté de la grille entrouverte. Il sortit de son sommeil pour inspecter la voiture. Puis, à la vue de Carla, laissa la voiture filer jusqu'à l'entrée de la maternité. De tout le trajet, les deux amies étaient restées silencieuses, à part les rituelles questions d'Inis :

— Comment te sens-tu?

Ou :

— Tu n'as pas trop mal?

Pourtant, elles n'avaient pas besoin de parler. Jamais elles ne s'étaient senties aussi proches, réunies sur ce territoire qui n'appartient qu'aux femmes, que seuls leurs pieds piétinent, au courant des moindres aspérités du relief. Carla ne pensait plus à Boris. Homme, à présent, il était carrément de trop. Intrus. Il n'avait rien à faire à l'intérieur du cercle qui se resserrait autour d'elle et de son enfant. La maternité était l'orgueil de Port-Mahault car, longtemps décrépite et mal outillée, elle avait été entièrement refaite un an plus tôt. Le hall était décoré d'une fresque de Roro Xantippe, qui faisait figure de peintre national, représentant une mère, magnifique négresse en boubou orange, son nouveau-né pendu à son sein généreux, d'autres enfants d'âge divers accrochés à son vêtement. Il était évident que, à travers cette maternité, l'artiste avait aussi voulu magnifier le pays et son origine africaine-trop-souvent-méconnue. Quoique mulâtre, Roro Xantippe avait peint des *Enfant Jésus*, des *Sainte Famille*, des *Christ* du plus beau noir, à la satisfaction du public. Dans la salle des urgences, les aides-soignantes prirent Carla en charge avec une indifférence toute professionnelle, qui la rassurait paradoxalement, car elle lui assignait un rôle sans surprise dans le drame en trois actes que joue et rejoue l'humanité depuis que le monde est monde : naître, croître, mourir.

L'une d'elles lui demanda :

— Vous avez déjà perdu les eaux ?

Et comme bouleversée, hoquetant, à présent coupée en deux par la douleur, elle faisait oui de la tête, l'autre eut un sourire de réconfort machinal :

— Alors, ça va aller très vite.

Dorisca prit bien soin de ne pas laisser claquer la porte derrière elle, et posa le pied sur le trottoir. Elle avait remis ses Marteen's à ses pieds endoloris et elle boitait.

— Hé, où vas-tu comme ça à pareille heure ?

Les jeunes gens qui prisaient tout en jouant aux cartes l'interpellaient affectueusement, car elle était, comme elle l'avait dit, l'enfant à tout le monde. Au début, les gens s'étaient méfiés de ces Haïtiens qui parlaient un drôle de créole. Ensuite, ils avaient découvert que le mari connaissait les remèdes contre toutes qualités de mal bouden, contre le chaud et froid et surtout contre les maladies fréquentes qui attaquent le kok des hommes et le rendent mou comme chiffe ; que la femme cuisait un excellent pain-patate qu'elle vendait quasi pour rien. Finalement, ils s'étaient attachés à cette drôle de fillette de Dorisca. Depuis que son oncle était mort et que sa ninnaine n'avait plus qu'une idée dans sa tête : le retrouver à minuit, tout le quartier prenait soin d'elle. On la nourrissait ; on lavait son linge ; on ressemelait ses souliers. Quand elle puait trop, on la récurait avec des bouchons de feuillage, comme un plancher.

Dorisca fit semblant de ne pas entendre ces exclamations et pressa le pas, tournant vitement l'angle de la rue des Soldats. Pauvre Dieudonné! Où était-il? Il était à parier qu'il n'irait pas finir la nuit chez une grand-mère qui, d'après *France-Caraïbe*, l'avait mis dehors à ses seize ans. Il n'irait pas non plus chez une marraine qui ne l'avait jamais porté dans son cœur. Il n'avait pas beaucoup de choix : il retournerait sûrement à la marina de la Mégisserie, à *La Belle Créole*. Elle trottina jusqu'à la cité des Amandiers, et là, elle se heurta aux Léopards. Les Léopards étaient une bande de garçons qui se donnaient des airs américains en se coiffant de casquettes de base-ball et en portant des tee-shirts affichant curieusement « I love L.A. », ville qu'ils n'avaient jamais visitée. À part cela, ils n'avaient guère fait parler d'eux et se bornaient à détrousser les noctambules imprudents. Pour l'heure, ils venaient de piéger un fauché qui n'avait pas pris la peine de fermer son tacot à clé et se partageaient un impécunieux butin : un portefeuille sans cartes de crédit, ni billets de banque, un peu de menue monnaie, laissée par oubli dans la boîte à gants. Elle s'assit à côté de Lenny, le chef, qui, pour se différencier du restant de ses troupes, arborait en lieu de casquette un tam tricolore. Une fois celui-ci repoussé en arrière, il découvrit des embryons de locks, roussis de sueur et de crasse, ainsi qu'un front bombé comme un caillou. Dorisca lui dit d'un ton de reproche :

— Ce que vous avez fait tout à l'heure, là, n'est pas bien. Battre mon copain.

Lenny enleva de sa bouche sa cigarette de hasch, la lui passa et, tandis que, yeux fermés, elle inhalait, protesta :

— Depuis quand c'est ton copain ? C'est pas le salaud qui a tué la békée ? Il n'y a pas de justice dans ce pays. On met un bougre comme ça dehors. On enferme à la geôle des malheureux qui fument un peu d'herbe.

— C'est un crime passionnel, expliqua Dorisca, se référant à son journal favori. Le jury est toujours plus indulgent pour ce genre d'affaire. Et puis, c'était une békée qui buvait et ne faisait rien de ses dix doigts ! Déjà ici, les gens n'aiment pas les békés !

Il répéta d'un ton comique :

— Crime passionnel ?... C'est quoi ça ?

Là-dessus, il éclata de rire, imité par les siens qui ne savaient pas de quoi il s'agissait mais, de loin, riaient quand même. Vexée, Dorisca lui rendit son joint, se leva dignement et s'éloigna. Il cria dans son dos :

— Fais attention. Un jour, tu regretteras. Un scélérat va te mettre par force son morceau de fer là où je pense et tu n'auras que tes yeux pour pleurer.

Elle ne répondit pas.

Dorisca ne gardait pas souvenir d'Haïti. À travers les récits de ses parents, elle s'était fait une idée à elle. C'était une terre cruelle et colorée. Les morts y défilaient côte à côte avec les vivants. Des tontons macoutes à la solde de dictateurs y assassinaient un peuple zombifié. Quand même, le vodou y plantait l'éclat de son arc-en-ciel. Quand même, on y dansait la merengue et le compas color en mangeant du grillot de porc, accompagné de riz jònjòn. Après la mort de sa mère et de son père, la famille avait envisagé de l'envoyer avec Max, son frère jumeau, rejoindre une tante exilée depuis vingt ans, qui vivait en sécurité à Brooklyn. Mais une autre tante, sa marraine, s'était attachée à elle et n'avait pas accepté la séparation. Aussi, Max était parti tout seul. Elle avait beaucoup pleuré à ce moment-là, car les jumeaux, les marassas, ne sont pas des personnes ordinaires. En fait, c'est une seule âme qui est répartie dans deux corps distincts, un seul esprit dans deux enveloppes de chair séparées. Si l'un des jumeaux a mal, l'autre souffre automatiquement. On assure qu'ils meurent le même jour, qu'ils se suivent dans l'invisible. Max était sorti en premier pour faire la ronde, et s'assurer que sa sœur ne risquait rien. Depuis, il n'avait jamais abandonné ce rôle de protection. Aux premiers temps de leur séparation, il lui donnait fidèlement de ses nouvelles, lui décrivant en détail les merveilles de l'existence. Il s'était promené dans la couronne, oui, la couronne, de la Statue de la Liberté, avait regardé par le trou de son œil, oui de son œil, et de là, il avait défié Manhattan, découpé en carreaux patate par des lignes droites de ses rues et de ses avenues. Il avait roulé à patins entre les pieds des autobus, au nez et à la barbe des taxis jaunes. Il avait assisté à un concert des Fugees à Central Park. Plus de deux mille personnes, toutes parlant le créole. Puis ces missives s'étaient arrêtées et elle se torturait, l'imaginant déjà mort. Il y a tellement de fous aux États-Unis ! Qui vident leurs chargeurs sur les innocents clients assis dans les McDo. Au bout de quelques mois, pourtant, le flot des lettres avait repris, rédigées désormais sur un épais papier à en-tête, imprimé de mots incompréhensibles. De l'américain, sans doute. Max expliquait qu'il avait été envoyé à Diagnostic, un centre où l'on détenait les garçons trop jeunes pour la prison. De quoi était-il coupable ? Une bagatelle. En classe, il avait exhibé un revolver et menacé un de ses camarades dans la cour de récréation.

Depuis que sa ninnaine la laissait livrée à elle-même, Dorisca ne mettait plus les pieds à l'école. Pourtant, dans le temps, elle était une bonne élève. Elle avait même sauté une classe. La maîtresse lisait ses devoirs de français à haute voix, la complimentant sur son imagination.

Mais, à présent, elle n'avait plus goût qu'à driver. La journée, elle dormait son bon compte. À midi, elle mangeait chez une voisine, celle qui avait cuit du riz ou du court-bouillon de poisson en trop. Le soir, elle commençait ses pérégrinations. Elle s'était mise à aimer Port-Mahault, qu'au début elle ne pouvait pas supporter, la trouvant si petite et si laide quand elle la comparait à Jacmel et surtout à New York qu'elle n'avait pourtant vue qu'en rêve. Ses tours, ses détours, ses impasses, ses lakous n'avaient plus de secrets pour elle. Elle connaissait intimement les anciens quartiers avec leurs maisons roses et bleues de cartes postales, ceinturées de balcons en fer forgé. Les quartiers modernes, les cités d'H.L.M. avec leurs façades toutes pareilles. Les derniers « îlots d'insalubrité » comme disait pompeusement la municipalité, où les malheureux ne connaissaient pas l'eau courante et faisaient leurs besoins dans des tomas ainsi que dans le temps-longtemps. Pour elle, les journaux de France et du Canada ne faisaient que mentir : Port-Mahault n'était pas dangereuse. Si, pendant la journée, Port-Mahault avait trop à faire avec les marchandes, souvent des matrones haïtiennes proposant pour vendre tout ce qu'il y a pour vendre sous le soleil, les crieurs des magasins des Libanais clamant les soldes, les bitakos venus lécher les vitrines, les écoliers chômant l'école, la nuit, c'était la fête avec la complicité de la lune et des étoiles! Dorisca savait comment entrer sans payer au cinéma-théâtre de l'Alhambra pour voir les films de Bruce Willis. Elle faisait la queue aux pizzerias volantes, tenues par des ambulants aux biceps tatoués de papillons et d'oiseaux, la bouche pleine de rires et de blagues. Ensuite, elle arrosait sa préférée, la Neptune, d'une cannette de Coca-Cola ou de bière sans alcool, vendues par d'autres ambulants, tout aussi tatoués et blagueurs. Les gens de Port-Mahault appelaient ces marchands les blancs-gâchés. Tout comme ceux qui offraient des tee-shirts avec les mille et un objets tirés d'une noix de coco, le long du front de mer. « Gâchés »? Pourquoi « gâchés »? Est-ce à dire qu'on leur en voulait de leur dégaine? Qu'on leur reprochait d'avoir perdu la superbe de leurs frères, fonctionnaires métros ou commerçants békés? Dorisca battait le gwo-ka avec des tambouyés amateurs. Le clou de la nuit consistait à chasser les chiens, massés sous le kiosque à musique. C'étaient de vraies batailles rangées, car les cabots qui, chacun le sait, sont des avatars de Satan, hurlaient, griffaient, mordaient, ne se laissaient pas faire. Certains tambouyés apportaient des boulettes de viande empoisonnée et c'était grand amusement de voir les bêtes affamées se jeter dessus et puis se raidir, mourir dans des entrechats grotesques. Quand Dorisca s'était suffisamment saoulée avec le rythme du toumblak, elle allait taper le grenn dé avec les dealers, sniffer un peu partout avec des copains. Parfois, le matin la trouvait dans des maisons où elle était entrée elle ne savait comment, dormant à côté d'inconnus. Dehors, l'air sentait le mouillé. On pouvait espérer la fraîcheur, car le soleil rechignait à se lever. Et puis, il changeait d'idée, sortait brutalement de son lit. Sur son ordre, la mer et le ciel bleuissaient fortement tandis que les montagnes s'accouplaient et, forteresses vert sombre, venaient barrer l'horizon. Pourtant, tout cela ne consolait pas Dorisca de sa solitude. Plus que jamais, la chaleur d'une famille, l'affection de son jumeau lui manquaient.

Elle prit la direction du quai de la Mégisserie. Elle hâtait le pas, elle courait presque, à cause de cette idée folle qui avait germé dans son esprit. Après tout, pas si folle ! Les balseros de Cuba, les boat-people d'Haïti s'ils sont chanceux, finissent bien par y aborder, à l'Amérique, même si, vue de près, celle-ci n'a plus rien à voir avec la terre qu'ils espéraient. Pourquoi pas eux ? Dieudonné n'arrêtait pas de répéter que *La Belle Créole* était un voilier extraordinaire, une reine des mers. Sans doute, depuis le temps qu'elle se rongeait le sang à quai, avait-elle perdu un peu de son ballant. Mais, sûr et certain, il lui suffirait d'entendre à nouveau le chant du vent, l'appel du large, pour qu'elle s'élance comme un cheval furieux, et couvre des milles.

Elle reverrait Max. Elle ferait connaissance avec New York.

Et l'image de son frère, de la ville inconnue se confondaient pour symboliser l'objet de ses rêves et de ses désirs.

18

Dieudonné retrouva *La Belle Créole* comme une femme aimée dont il aurait été séparé pendant longtemps. Il avait beaucoup à se faire pardonner. Il n'était revenu vers elle que sur le coup de trois heures du matin, quand il avait mesuré le peu de solidité des liens qui le reliaient aux autres. Ni famille. Ni ami. À l'exception d'Ana, tous l'avaient lâché. Ce n'était pas pour le surprendre. Quand il était à la prison de Basse-Pointe, il avait fait souvent un rêve qui, il le comprenait à présent, était prémonitoire. Un matin, il sortait de la geôle pour se retrouver dans un labyrinthe dont il cherchait des heures durant la sortie. Finalement, il crevait tout seul sans l'avoir jamais trouvée.

À trois heures du matin, une paix relative règne sur la terre, la mer, le ciel. À terre, les voleurs ont fini de voler, les violeurs de violer, les assassins d'assassiner. Sur mer, les vagues ne fouettent plus les coques des navires. Elles se bornent à les lécher comme des chiennes tandis que le vent ne fait plus chanter les voiles qui faseyent sans bruit. Au ciel, c'est l'heure des astres. Dieudonné s'assit comme toujours le dos contre la bôme. Un croissant de lune s'était hissé tout là-haut. Il n'éclairait rien et se bornait à veiller sur cette paix. Soudain, la pâle lueur des étoiles s'obscurcit et la pluie se mit à tomber. Ce n'était qu'un grain, mais il dut courir s'abriter à l'intérieur. Dans la cuisine, la puanteur était telle qu'il ressortit en vitesse sur le pont. Sans plus se préoccuper de l'eau qui détrempait ses épaules et son dos, il se rassit au pied du mât. Il avait quitté le lakou Ferraille, ses chaussures à la main comme un homme infidèle qui revient de cavale et veille à ne pas réveiller sa compagne. Au moment de décrocheter les grosses portes, de tourner la clé dans la serrure, tout de même, son cœur avait manqué. Il s'était retourné vers la forme endormie sur le lit, vers le moïse, puis, pris de peur, il avait foncé dehors, tête la première. Une bòbò qui avait bravé les dangers du quartier et arpenté les trottoirs comme dans le bon vieux temps, le confondant avec un malfrat, terrifiée, s'était plaquée contre le mur. À la hauteur de la rue Sully-Lancrerot, il avait vu les chiens. Les mêmes. À quoi les reconnaissait-il? Il n'aurait su le dire. Les bêtes étaient immobiles, l'attendant, la gueule tournée vers lui, humant l'air comme s'ils tentaient de capter ses effluves. Tremblant, il n'avait plus osé un mouvement. Cette fois encore la meute avait détalé dans une autre direction et ne lui avait fait aucun mal. C'était mieux ainsi. Ana croyait l'aimer. Aussi, elle commencerait par pleurer, rager aussi, le prenant pour un de ces irresponsables, un Milo Vertueux, espèce tellement commune dans le monde, qui ne lèvent pas le petit doigt pour leurs enfants. Amère, elle finirait par remonter dans un avion en direction des États-Unis et c'était le mieux. Là, elle se terrerait comme une bête à l'agonie. Pas de visiteurs, pas d'amis. Personne. Puis le temps viendrait où elle le remercierait de l'avoir laissée libre, d'avoir épargné à son enfant d'hériter du nom d'un papa assassin. La nuit le happait, le malaxait dans sa gueule vorace. Des souvenirs morcelés, des images imprécises, disjointes, suivies d'infinis blancs de mémoire passaient et repassaient dans son esprit. Car à force de reléguer cette soirée dans les profondeurs de son être, elle avait perdu les contours sans ombrages du réel.

Le cœur ! Le cœur ! De quelle matière est-ce qu'il est fait ? Comment peut-il s'étirer pour abriter des désirs, des émotions contradictoires ? À Joud'lan, il s'était rendu au Fifth Avenue. Il s'était fait beau. Il s'était lissé les cheveux à l'eau de Cologne, avait enfilé sa meilleure paire de jeans et une chemise de soie grenat qu'un de ses oncles lui avait offerte pour ses vingt ans. Cet oncle-là l'avait toujours gâté. Il avait, disait la famille, beaucoup aimé Marine et reportait cette affection sur son fils. Malheureusement, il habitait dans les Côtes-d'Armor! Marié à une Lilloise, il ne revenait jamais au pays. Pourquoi s'en était-il allé retrouver Luc qu'il avait manqué étrangler dix jours plus tôt? Parce qu'il le savait, cette égorgette ne signifiait rien de rien. Ce n'était qu'une réaction de défense à ce qu'il savait inéluctable entre eux. En même temps, privé de Loraine, plus rien n'avait de sens. Il ne dormait pas, passait les nuits à se torturer d'images d'incendie : Loraine et Luc se promenant bras dessus bras dessous, allée des Amériques. Loraine et Luc faisant l'amour. Dormant dans les bras l'un de l'autre. Ajoutons à tout cela qu'il se sentait seul, tellement seul au seuil de cette nouvelle année que personne — même machinalement, même du bout des lèvres — ne lui souhaitait bonne et heureuse. Boris avait pour un temps quitté son abribus et passait les fêtes sous le toit de Benjy avec sa femme et ses garçons. Arbella, qui avait bonne main, avait cuisiné une daube de cochon et un gratin d'ignames pakala. La famille avait l'intention de réveillonner chez Fanniéta, mais, comme chaque année, personne ne souhaitait sa présence. Il revoyait leurs têtes quand il s'était amené l'année passée, sur l'heure de minuit pour prendre place à table.

Port-Mahault accueillait de son mieux l'an

nouveau. Ce Joud'lan marquait la première des grandes grèves d'électricité. Car, depuis peu, le P.T.C.R. avait durci sa position. À chaque fois que le courant daignait revenir, des lampions et des banderoles clamant « Joyeuses Fêtes » s'illuminaient en travers des rues. C'était aussi le début des grèves de la voirie. Pour Joud'lan, la municipalité avait passé contrat avec un service de nettoiement privé. Ni poubelles, ni tas de détritus ne montaient la garde le long des trottoirs. Une arroseuse, massive comme un tank nazi, avait aspergé les rues et l'air sentait le propre, le frais. Fifth Avenue, le night-club de ceux qui savent s'amuser, assurait la télévision, ne ressemblait à aucune de ces vulgaires boîtes qu'il arrrivait à Dieudonné de fréquenter. Au Sphinx par exemple où il avait parfois accompagné Rodrigue. Au lieu d'une salle immense, façon hangar, assez nue, mal éclairée, sommairement décorée de guirlandes, c'était une pièce aussi minuscule qu'une bonbonnière, tapissée de miroirs et de tentures rouges, les lumières tamisées au point qu'on n'y voyait pas plus loin que le bout de son nez. Les danseurs s'écrasaient sur la piste au son d'airs de musique africaine-américaine. Pardon ! Ni zouk ni zouk love. Après de longues hésitations, Dieudonné s'était approché du bar, et s'était adressé timidement à un des garçons qui mélangeaient des cocktails. Ils lui faisaient peur avec leurs uniformes à épaulettes comme ceux des marins. Seul ce jeune métro, malgré ses cheveux dressés comme la crête d'un coq, mais verts, arborait une mine moins redoutable que ses collègues. Il lui fit signe que, vu le bruit, il n'entendait rien et Dieudonné dut hurler sa question, emmenant de cette façon au grand jour ce qu'il terrait au fond de lui-même :

— Je cherche Luc Alliot... le peintre.

À son tour, le barman hurla :

— Vas-y, mec. Est-ce que je t'en empêche !

Puis il eut pitié de l'air marri de Dieudonné et jeta, en riant de sa bonne blague :

— Je ne l'ai pas encore vu.

Déçu, Dieudonné se dirigea vers l'Exit, indiquée en caractères sanguinolents, franchit la porte, se retrouva sur le trottoir. Fifth Avenue était situé dans un quartier assez borgne de garages et d'entrepôts, pour l'heure plongé dans le noir d'où son affiche au néon émergeait comme un îlot phosphorescent. Des vigiles mastodontes, armés jusqu'aux dents, projetaient la lueur de leurs torches sur tout ce qui bougeait et les chiens galeux, loin de pavoiser, rasaient les murs. Un de ces vigiles s'adressa brutalement à Dieudonné, ordonnant :

— Traîne pas là !

Celui-ci feignit d'obéir, se borna à traverser la rue et resta à rôder dans les parages, les yeux fixés sur la lumière de l'enseigne. Combien de temps ?

Minuit sonna au carillon de la cathédrale Saint-Jean-de-Obispo. Il songea tristement à tous ceux qui s'embrassaient éperdus de bonheur et d'anticipation, faisant couler le champagne. Lui, personne à ses côtés. Il songeait à s'éloigner quand une bande descendit bruyamment de deux 4 × 4, bardées de chrome. Ces garçons, ces filles auraient pu illustrer le slogan de « United Colors of Benetton », car aucun d'entre eux n'était de même couleur, l'un pâle, l'autre noir bon teint, celui-là chabin ou mulâtre. Pourtant, s'ils se distinguaient par leurs cheveux, bouclés, frisés, carrément grenés, et leurs peaux, ils se ressemblaient par l'exubérante gaieté, l'effervescence, la manière désinvolte dont ils habitaient leurs vêtements. Les filles dénudaient leurs jambes interminables et leurs gorges pigeonnantes. Avec un frisson, Dieudonné reconnut Luc ! Entièrement habillé de blanc, séduisant comme le diable avait dû l'être dans le désert face à Jésus-Christ. Luc lui adressa ce sourire de nature à le persuader qu'il était l'être le plus cher à son cœur. Il le présenta chaleureusement à ses camarades, l'entraîna, le morigénant tout de même à sa manière douce habituelle :

— Tu es magnifique. Mais tu tires toujours une gueule sinistre ! Cette nuit, c'est la Saint-Sylvestre, nom de Dieu. On est là pour s'amuser ! Fais comme tout le monde ! Amuse-toi !

Ils entrèrent à l'intérieur et le Fifth Avenue

referma sur eux sa gueule aux gencives, au palais de velours écarlate. Dieudonné se trouvait si rarement dans la compagnie de ceux de son âge que l'odeur, la chaleur de ces jeunes gens lui montaient à la tête comme un vin nouveau. D'habitude, les rares fois où il se hasardait dans les dancings, selon un schéma tracé par la timidité, il s'asseyait le plus près possible de la piste et se bornait à laisser descendre la musique en lui. Cette nuit-là, Luc ne le permit pas. À chaque fois qu'il faisait mine de s'arrêter, l'autre le ramenait sur la piste au milieu d'un magma humain, aussi brûlant que celui qui s'amoncelle le long des pentes du Stromboli. Lui qui ne consommait pas une goutte d'alcool, qui s'efforçait continuellement de freiner Loraine, ne cessait de remplir son verre. De n'importe quoi. De champagne. De gin. De whisky. D'un cocktail de couleur verte, baptisé Tsunami. Il ne s'était jamais senti aussi bien, hors de son corps qu'il avait laissé loin derrière comme une enveloppe mal adaptée, enfin à l'unisson du monde. Sa mère n'avait jamais perdu ni ses jambes ni sa beauté ni sa vie. Loraine ne l'avait pas jeté dehors comme un chien. La vie ressemblait à un collier de corail qu'un plongeur en eau profonde lui avait accroché autour du cou.

Vers deux heures du matin, le vacarme des décibels s'apaisa, il se fit un silence. Les danseurs formèrent un cercle tandis qu'un groupe envahissait la piste. Six filles, trois garçons, leurs cheveux crépus teints en blond, vêtus d'identiques combinaisons de cuir brillant, chaussés des inévitables Nike. Les « All Black ». Malgré leur appellation américaine, il s'agissait de rappeurs locaux, tous nés à Port-Mahault ou dans ses faubourgs. Rythmant leurs paroles de gestes saccadés, pareils à ceux des robots des films de science-fiction, ils se mirent à chanter — en créole ? dans un anglais, aux accents encore plus approximatifs que celui de Boris ? dans les deux langues ? Apparemment cela n'importait guère, vu les cris, les hurlements, les trépignements, les transports de l'assistance. À côté de Dieudonné, deux jeunes filles, affalées sur leurs cavaliers, sanglotaient nerveusement. Il était visible que ces artistes malgré leurs mines ridicules collaient à l'âme de l'auditoire, exprimaient ses humeurs à la perfection. Dieudonné ne s'était jamais intéressé à la musique. Parfois flottait agréablement dans son esprit le souvenir des biguines que fredonnait Marine aux rares moments où elle avait l'âme en joie.

> *Nèg ni môvé man-nyè*
> *Nèg ni môvé man-nyè*

Rodrigue comme Boris était féru de musique cubaine : mambos, boléros, pachangas, guajiras...

Dos gardenias para ti
Con ellas quiero decir

Quant aux airs de blues que Loraine écoutait, toujours les mêmes avec leurs voix d'enterrement, Lena Horne, Billie Holiday, Dinah Washington, Sarah Vaughan, ils l'exaspéraient. À sa surprise, ces accords volontairement inharmonieux, baroques, d'aucuns diraient barbares, le remuèrent au plus profond comme s'ils sommaient une part de lui-même qui jamais n'avait son mot à dire de s'exprimer. Seul, Luc ne semblait pas satisfait. Il haussait les épaules, faisait la moue, protestait :

— That is bullshit, man! Ils ne font qu'imiter les Africains-Américains!

On resta jusqu'au matin au Fifth Avenue. À partir d'une certaine heure cependant, tout se dérégla en Dieudonné. Il cessa d'avoir conscience du temps, de l'endroit où il se trouvait. Il ne fut plus qu'un patchwork d'impressions, de sensations. Des éclairs de lumière l'aveuglaient, des sons, des éclats de voix, de rire l'assourdissaient. Ce goût âpre dans sa bouche était celui du bonheur.

Brutalement, la morsure de l'air sur sa figure lui rendit la pleine conscience. Il s'aperçut que le jour était levé; on était montés dans la 4 X 4 qui roulait à vive allure. Tous autour de lui dormaient dans les postures les plus avachies. Quant à Luc, alerte et lucide, il tenait le volant. Dieudonné se sentit merveilleusement bien. Il aurait souhaité que la vie dure, dure toujours, qu'on ne quitte jamais cette route sans relief qui semblait filer vers l'infini. D'après le paysage plat comme le plat de la main, les nombreux cratères de mares s'ouvrant à même les savanes, les moulins à vent, pareils, dans la marée des cannes à sucre refluant autour de l'automobile, à des tumuli de pierres grises, il devina qu'on se trouvait dans le bassin des Salines. Luc lui parlait d'un ton grave :

— Tu ne vas pas continuer à gratter la terre pour elle ad vitam aeternam. Combien est-ce qu'elle te paye ?

— ...

— Tu te rends compte ! Ne te laisse pas exploiter. Loraine a cela dans le sang. C'est héréditaire, dès qu'elle le peut, elle profite. Elle ne respecte que ceux qu'elle ne peut pas faire tourner en bourrique. Moi, par exemple. J'ai réfléchi à ton cas : je te donnerai un mot pour un bon ami, Cyrille Sirius, le directeur de l'office de tourisme. Ne va pas jouer la mijaurée avec lui. Il adore les jolis garçons. Si tu sais y faire, il te trouvera un job dans un hôtel, un restaurant... Ce sera toujours mieux que ce que tu fais.

À un moment, on traversa Blanchette, l'ancienne capitale, ses demeures de bois aux volets polychromes ramassées autour de l'église. On entra dans un sous-bois et des taches vert sombre maculaient l'air. Enfin, la voiture s'arrêta devant une villa assez commune avec sa galerie circulaire, sa dalle de béton, hérissée des habituelles antennes de télévision, entourée d'un fouillis d'arbres. À travers l'emmêlement des bananiers, des manguiers et des calebassiers, on apercevait la mer, à cette heure gris plombé comme une feuille de tôle. Joud'lan ou pas, des pêcheurs ramaient furieusement vers le large pour gagner le pain quotidien.

Le groupe se divisa en deux. Une partie entra à l'intérieur de la maison. Une autre se vautra sur la plage, certains se roulant dans le sable pour dormir.

— Si on se baignait? cria Luc.

Il envoya voler ses habits et, tout nu, il se mit à courir vers la mer. Sa nudité surprenait, car il était beaucoup plus musclé qu'on ne s'y attendait. Le torse compact, les fesses bombées, les abdominaux rigides et bien dessinés. On sentait qu'amoureux de son corps, il le forçait à mille exploits, veillait sur lui comme on veille sur un outil de prix. Dieudonné baissa les yeux, hésita, pris de pudeur. Mais tous autour de lui se dévêtaient avec naturel. Il finit par les imiter. À son tour, nu comme au jour de sa naissance, il marcha vers l'amante qu'il préférait. Elle le prit dans ses bras sauvages, se frotta contre ses parties les plus secrètes, lui versant cette ivresse à laquelle rien ne peut se comparer. Après les excès de la nuit, c'était comme s'il prenait un bain de purification. Sans plus s'occuper des autres, il s'éloigna à brasses vigoureuses. Sur ce versant du pays, la mer pouvait se comparer à un cheval de rodéo, cabrée, gonflée, parcourue de lames qui désarçonnaient. Derrière la ligne illusoire de l'horizon qui reculait peu à peu, le soleil commençait de tirer ses flèches. Elles se plantaient au hasard, en désordre, dans la masse échevelée des nuages. Et le monde informe, sortant de l'ombre, se solidifiait. Qu'avait fait Loraine après que Luc l'avait quittée pour le Fifth Avenue ? Sans doute, s'était-elle mise au lit et dans l'antre désert, glacial de sa chambre, avait-elle bu jusqu'à plus soif ? Lui, si elle l'avait voulu, ne se serait pas éloigné d'elle en ces heures de liesse universelle. Il l'aurait écoutée une fois de plus radoter et se plaindre, puis il l'aurait bordée comme un bébé. Il aurait tenté d'inventer des histoires drôles pour la distraire. Au lieu de cela, le sans-cœur avait choisi d'aller s'amuser égoïstement. Pourquoi du Levant au Couchant, les humains célèbrent-ils la nouvelle année avec tellement de ferveur ? Benêts, ils espèrent qu'elle leur apportera ce que celle d'avant et celle d'avant avant leur ont obstinément refusé. Du bonheur, du bonheur. De l'argent. De la sécurité plein les mains ! Il manqua buter sur un canot et les deux pêcheurs édentés, barbus, dignes en tout point d'illustrer des cartes postales, série « La Caraïbe pittoresque » le saluèrent en souriant. Pourtant, leurs yeux demeuraient durs, perçants comme des éclats de silex. Sans doute le prenaient-ils pour un intrus qui violait celle qu'ils voulaient pour eux seuls. Épuisé par sa nuit de bamboche, il manqua soudain de souffle et, les yeux fermés, faisant la planche, il se laissa dériver, ballotter au gré des courants. À travers le croisillon de ses cils, des formes se dessinaient dans le ciel d'un bleu de plus en plus soutenu, se défaisaient, se refaisaient encore. Des pans d'écharpes, des nœuds de ruban, des cercles, des trapèzes, des animaux, tout un bestiaire de fantaisie.

Au bout d'un moment, il retrouva son souffle et revint vers la plage. Son cœur s'exalta. Dans peu de jours, Luc repartirait. Alors, il retrouverait Loraine pour lui seul. Nul doute qu'elle pleurerait. Alors, il la consolerait, la serrerait contre lui, blessée, esseulée, et le souvenir des semaines où ils avaient été séparés s'estomperait. En même temps, une faim s'était éveillée en lui dont il ne savait pas nommer le nom, qu'il ne voulait pas regarder en face. Il ne savait pas s'il se contenterait de son ancienne vie. Sur la galerie, des infatigables dansaient aux accents de Marvin Gaye. Autour de Luc, un groupe de garçons, toujours nus, était de nouveau vautré dans le sable sous un amandier-pays. Ils buvaient des cocos à l'eau que l'un d'entre eux, nu celui-là aussi, ouvrait habilement d'un seul coup de coutelas. Et cet étalage impudent de koks, les uns belliqueux, les uns relevant fièrement la tête, certains plus mous, d'autres carrément paresseux, rappela à Dieudonné son élevage sur le morne Lafleur et ce temps doux-amer à jamais disparu où il était dieu parmi ses créatures. Où se cachait Marine ? Certains affirment que les morts ne quittent pas notre terre ; ils ont trop de goût pour elle ; ils continuent de se frayer une place parmi les vivants. Lui, n'avait jamais revu sa mère, même pas en rêve. Des fois, à force de la regretter, il croyait apercevoir sa silhouette au détour d'une rue, dans la foule d'un marché, la bousculade d'un carnaval. Ce n'était jamais qu'un mirage qui crevait dans le désert.

Quand il s'approcha, Luc lui fit signe de s'allonger près de lui et, prenant les autres à témoin, déclara affectueusement :

— Les bougres, quand je serai parti, je vous confie ce p'tit gars-là. Il est entre les griffes de Loraine et j'ai très peur pour lui.

Il ajouta moqueusement :

— Il est amoureux d'elle !

Tout le groupe s'esclaffa comme s'il s'agissait de la meilleure plaisanterie imaginable. Un des garçons, celui qui ouvrait les cocos à l'eau, interrogea Dieudonné :

— Tu sais qui est Loraine?

Comme Dieudonné se taisait, il expliqua :

— Laisse-moi te dire.

Il se mit à l'informer par le menu et le détail. Loraine avait usé trois maris, on ignore combien d'amants. À l'en croire, tous les garçons ici présents avaient connu ses faveurs. Elle avait un faible pour les peintres, mais il suffisait de se déclarer ARTISTE. Le premier gratteur de guitare avait sa chance. Toumblak, qui faisait le tour du monde avec sa musique de gwo-ka, avait longtemps séjourné dans son lit. Élias Reclus que le tout-Paris avait admiré dans *Combat de nègre et de chien* au théâtre de la Farandole aussi. C'était à qui se vantait de lui avoir soutiré, extorqué quelque chose. Férocement. Sans le moindre remords. Car, d'une certaine manière, cet argent, ces cadeaux, ces recommandations, ces interventions là où il le fallait, qui changeaient miraculeusement la destinée, leur étaient dus. Loraine ne faisait que payer une petite partie de la dette considérable, accumulée vis-à-vis de la Race, au cours de siècles de traite, d'esclavage, d'exploitation en tout genre et d'humiliations de toutes sortes. Dieudonné ne comprenait, ne partageait pas cette rancune. Ni Marine, ni Arbella ne lui avaient vraiment parlé du passé. Quand il voyait d'autres noirs, africains ou américains, au cinéma, à la télévision, il n'ignorait pas qu'une

266

parenté singulière les unissait. Il n'ignorait pas que dans le temps-longtemps, ils avaient été frères et sœurs, sortis du même ventre avant qu'une force cruelle ne les disperse aux quatre coins du monde. Comment cela s'était-il produit exactement? Il l'ignorait et ne s'en préoccupait guère. Ce passé-là ne valait pas le présent qu'il vivait avec ses affres et ses manques. Luc chantonnait sur l'air de la *Tonkinoise* :

— Mais c'est moi qu'elle aime le mieux! Parce que dans le fond, elle a peur de moi.

Il posa la tête sur la cuisse de Dieudonné :

— Tu comprends, au début, elle voulait me diriger : "Tu dois peindre comme ceci. Tu dois peindre comme cela." Je l'ai envoyée balader.

Tous approuvaient.

— Il faut la remettre à sa place.

Est-ce qu'il n'aurait pas dû faire un éclat, se lever, partir? Non, il ne ripostait rien. Il écoutait ces propos inqualifiables, retenu par quoi? La lâcheté, la peur de se retrouver seul et, surtout, le désir inavoué, inavouable de rester dans la chaleur et la lumière que dispensait Luc.

Drapée dans un paréo, une des filles accourut, pas gênée par tous ces garçons dévêtus. C'est qu'elle faisait partie de cette nouvelle génération, celle qui ne craint rien, qui fait l'amour à douze ans, qui prend la pilule et se sait l'égale des hommes. Elle les gronda : pendant qu'ils étaient là, feignants, à boire du vent et de l'eau de coco, d'autres se donnaient de la peine. Maxo avait parcouru des kilomètres pour acheter du pain massif, des croissants. Célia avait cuisiné une tarte au lambi. Elle-même avait préparé du café. Bref, un somptueux petit déjeuner attendait ceux qui avaient la force de se lever. Obéissants, tous se mirent debout, chacun enfilant ses habits dispersés aux alentours.

Le soleil avait entamé son ascension qui ne surprenait plus personne. Il n'était qu'à mi-hauteur du ciel. Pourtant, on était déjà fatigué avec lui, avec son insoutenable présence. Le sable brûlait déjà aux pieds. Une lumière huileuse, épaisse comme un jaune d'œuf, rampait et barbouillait un côté des nuages. Luc se redressa, s'appuya sur le bras de Dieudonné, un geste simple, banal en apparence, qui cependant concrétisait l'acccord silencieusement passé entre eux.

19

Une tape sur l'épaule ramena Dieudonné dans le noir du présent. Il sauta en l'air comme si un serpent l'avait effleuré et, à son côté, il distingua Dorisca, campée sur ses pieds à la Charlot.

— Qu'est-ce que tu viens chercher ici ? rugit-il.

On aurait dit qu'il avait oublié sa gentillesse

de tout à l'heure et les efforts qu'elle avait déployés pour le soigner. Ce n'était pas de sa faute si sa ninnaine avait joué les trouble-fête et l'avait mis dehors. Elle ne songeait qu'à bien faire avec son vodou, son onguent, son massage et ses bougies. Dorisca, qui s'attendait sans doute à plus de reconnaissance, en eut immédiatement les yeux en eau et resta là à se balancer d'un pied sur l'autre. Devant son désarroi, il se radoucit :

— Un jour, à force de traîner dehors à toutes les heures de la nuit, tu vas récolter ce que tu cherches.

Elle renifla :

— Je t'ai déjà dit que je n'ai pas peur. Personne ne me touchera.

Puis, elle ajouta passionnément :

— Allons-nous-en.

Il interrogea rudement :

— Où ça ?

Elle bredouilla, consciente de sa stupidité :

— En Amérique.

Il éclata de rire :

— Tu es folle ! Ce bateau-là n'a pas pris la mer depuis des années. Si j'ai un bon conseil à te donner, c'est de retourner chez toi.

Elle ne bougea pas et il se moqua :

— Tu te prends pour Tabarly, ma parole ! Tu veux, toi aussi, ta course en solitaire !

Elle insista :

— Je veux partir à New York pour retrouver mon frère.

Là-dessus, elle se mit à pleurer, des larmes qu'elle retenait à l'intérieur d'elle-même et qui soudain sourdaient, l'inondaient :

— Je ne veux plus rester ici. Je ne veux plus vivre comme ça. Sans personne pour s'occuper de moi. Depuis que le mari de ma ninnaine est parti, elle n'a plus de temps pour moi.

Il l'interrompit rudement :

— Tu m'as déjà dit ça ! Écoute, si tu veux rejoindre ton frère, ce n'est pas moi qui t'aiderai. Tu n'as qu'à aller à l'école, étudier. Si tu travailles bien, tu pourras avoir une bourse et partir pour New York. J'ai un ami qui a fait ça. Un peintre qui commence à être connu dans le milieu. Il s'appelle Luc Alliot.

Il se rendit compte qu'il grasseyait pris d'une fierté ridicule en disant cela et répéta sauvagement :

— Va-t'en, tu m'entends !

Elle l'importunait à la fin. Elle venait s'interposer au mitan de ses pensées et il se sentait des envies de la prendre aux épaules, de la pousser sans ménagement vers l'échelle de sortie. Pourquoi lui qui ne parlait jamais, qui ne confiait jamais rien à personne, avait-il raconté à Loraine par le menu et le détail ce qui s'était passé au Fifth Avenue et, ensuite, avec Luc ? Pour la blesser, à coup sûr. Il avait éprouvé le désir de lui

270

rendre le mal pour le mal. Elle l'avait fait saigner avec sa phrase, cette phrase qui lui battait encore aux oreilles, qui lui brûlait encore le cœur, qui le déchirait comme un poignard :

— Luc, c'est le cadeau que le Bon Dieu m'a fait alors que je n'attendais plus rien de rien de l'existence.

S'y mêlait peut-être aussi le désir stupide de se faire valoir. On va voir ce que l'on va voir ! Ah non ! Je ne suis pas aussi dénué d'intérêt que tu l'affirmes. Quand il avait gémi : « Et moi, et moi ! Qu'est-ce que je suis pour toi ? », elle avait eu un rire insultant. Sa lèvre s'était retroussée en un rictus de méchanceté et de mépris. Se rejetant contre ses oreillers, elle avait articulé, le fixant de ses yeux sans douceur :

— Toi ? Tu es un vulgaire rien du tout. Tu n'es qu'un petit nègre rempli d'aigreur et de malice comme tous tes pareils. Il te manque la trique dont tu garderas éternellement le souvenir.

Est-ce qu'il n'aurait pas dû comprendre qu'elle déparlait ? Parce qu'elle avait trop bu. La bouteille de Glenfiddich à moitié vide en témoignait. Parce qu'elle était trop seule en cette saison des fêtes. Parce qu'elle éprouvait trop de chagrin du départ de Luc. Peut-être qu'elle ne pensait pas un mot des paroles que sa bouche prononçait et le piquait-elle pour qu'il oublie sa constante réserve.

— Tu es comme un bougot, se moquait-elle souvent. Toujours au fond de ta coquille. Je vais t'en faire sortir, moi !

Au lieu de se taire et de la consoler, il s'était mis à parler. Pendant qu'il se vidait de son histoire, il avait lutté au fur et à mesure que les mots prenaient forme, se disposaient en phrases et paragraphes jusqu'à constituer un récit cohérent, contre une sensation d'irréalité. Tout cela s'était-il vraiment passé ? Par ce qu'il disait, cernait-il la réalité ? N'avait-il pas rêvé cet après-midi-là, cette nuit-là sous le boyau de tulle ajouré de la moustiquaire dans la chambre étouffante dont le ventilateur n'arrivait pas à remuer l'air ? La lune les regardait choquée peut-être de tant de passion, car ils avaient laissé grandes ouvertes fenêtres et persiennes, espérant un filet d'air sur leurs peaux en sueur. Le chant de la mer les assourdissait, rageur comme si la maîtresse en titre se plaignait de sa trahison. Pourtant, il ne l'avait pas trahie, elle non plus. Il n'avait fait que voler une miette de bonheur à la vie. Après l'amour, ils avaient causé, ce qui avait enchanté Dieudonné, pas habitué. Soir après soir, Loraine lui tournait le dos, lui jetant le bonsoir par-dessus son épaule. Une ou deux fois, elle s'était endormie sous lui et il avait couvert de baisers son visage défait, livré à son amour. Luc lui avait conté une histoire qui semblait une variante de la sienne. Il n'avait jamais connu son père. À ses cinq ans, sa mère était partie chercher du travail en France, l'abandonnant à sa grand-mère qui, avant de mourir, l'avait confié à sa marraine. Sa mère s'était mariée à un blanc et il avait des demi-frères roses et blonds. Connus seulement en photo. Pas de doute, une fois qu'il serait inter-nationalement reconnu, tout ce monde essaierait de s'accrocher à ses basques. Mais alors ! Il ne vivait que pour cette vengeance-là. Il n'éprouvait aucune reconnaissance pour Loraine. Comme ses amis, il pensait qu'elle ne payait qu'un petit bout de la réparation.

Le lendemain, ils s'étaient rendus en troupe à l'aéroport. Autour de lui, garçons et filles riaient, plaisantaient, assurés de se revoir à bref délai. À New York. À Paris. À Londres. Lui seul avait l'impression de perdre à jamais ce qu'il aurait pu être si le sort n'en avait pas décidé autrement. Luc, sensible à son désarroi, le consolait à sa manière joueuse et câline :

— Viens me voir à New York. Toi, qui n'as pas quitté ton trou, tu vas connaître ce qu'est une ville, une vraie. À midi, les gens se pressent comme des fourmis toc-toc dans les rues. Viens de préférence en hiver. Car tu n'as jamais vu cela, sauf au cinéma. Tu n'as jamais vu le ciel s'assombrir en plein jour et les flocons tomber en confettis serrés. Une ville habillée en blanc. Blancs, les toits. Blanches, les branches des arbres. Blancs, les rues et les trottoirs et on joue à saute-mouton avec les tas de neige. Le silence s'installe, celui des commencements. Parfois, le fleuve gèle à perte de vue et les bateaux restent immobiles, englués dans cette mer de glace.

Malgré lui, l'imagination de Dieudonné, fouettée, galopait comme un cheval : Moi, Dieudonné Sabrina, patron de New York! Les taxis jaunes forment une haie d'honneur pour moi. Les gratte-ciel se font tout petits à mes pieds. Attention, je débarque! Pourtant, il savait bien que c'étaient paroles en bouche. Luc, enfant gâté, l'avait utilisé pour se donner du plaisir, pimenter ses vacances. À peine monté dans son Boeing, ses écouteurs aux oreilles, il l'oublierait.

Loraine ne l'avait pas interrompu une seule fois. Changée en statue, elle n'avait pas fait un seul geste. Quand il s'était tu, elle avait bégayé :

— Tu mens!

En même temps, ses yeux démentaient sa bouche, trahissaient la peur qui habitait son cœur. N'est-ce pas ce qu'elle avait redouté depuis le début? N'est-ce pas pour cela qu'elle avait écarté Dieudonné sans pitié? Car elle le connaissait, son Luc! Elle le savait qu'il allait à la voile, à la vapeur, séduisant tous ceux qui l'approchaient, hommes, femmes, une haie de suppliciés à sa droite, à sa gauche. Alors, il avait ricané méchamment, accumulé les détails, l'adresse de Luc à New York, son numéro de téléphone, le nom de la galerie où il exposait, comme s'il devait à tout prix marquer ce récit du sceau de l'authenticité. C'est alors qu'elle avait à nouveau saisi son arme, l'avait pointée, avait tiré sur lui tandis que ses yeux dérivaient non pas simplement dans la colère, mais dans une sorte de folie désespérée. Une balle s'était fichée dans la cloison derrière sa tête ; une dans le plancher. Il s'en était suivi une courte bataille au cours de laquelle il n'avait fait que se défendre. Sauver sa peau.

Voilà comme cela s'était passé. Légitime défense, aurait argumenté Maître Serbulon, s'il avait su la vérité. Cette fois, il n'aurait pas menti. Dans sa douleur, dans son ivresse, Loraine l'aurait abattu comme un chien. Pourtant, avouer cela aurait constitué l'ultime trahison. Voilà pourquoi, après quatre jours de réflexion, il s'était rendu au commissariat du Cadenat comme un coupable. Voilà pourquoi il s'était tu, laissant l'avocat échafauder ses absurdes théories. Blanc contre noir. Maîtresse sadique contre esclave docile. Qui, un jour, se rebiffe. Baptême du sang. Je vous le demande, peut-on tuer sa vie ?

— L'année dernière, tu te rappelles ? Deux plaisanciers ont dérivé jusque vers la Floride. On a raconté cela dans *France-Caraïbe*.

Dieudonné sursauta, retoucha terre et se retrouva cette fois encore devant Dorisca. Dans son désir de le convaincre, elle pleurnichait toujours, levant vers lui un visage suppliant. Dire qu'il l'avait trouvée jolie. Dire qu'il l'avait rêvée comme petite sœur. Il eut un mouvement d'exaspération :

— Ne raconte pas de bêtises. Retourne chez toi, je te dis.

Malgré lui, il hurlait. Dans la marina à moitié déserte, l'écho amplifié de sa voix leur revint. Alors, elle obéit. Il entendit ses pas irréguliers sur le quai. Au moment où elle allait disparaître, happée par l'ombre, il éprouva un remords et faillit la rappeler. Puis, il se ressaisit. Là où il avait décidé d'aller, elle ne pouvait pas l'accompagner. Personne ne pouvait l'accompagner. Dorisca disparue, il resta immobile, assis à la même place. Autour de lui, le noir de la nuit blanchissait imperceptiblement. Des fibrilles claires apparaissaient çà et là, mêlées à l'infini sombre du ciel. La matrice géante de l'autre bord se préparait à expulser le jour. Parce que, enfin, que pouvait-il faire de sa vie ? Partir pour Cuba ainsi que le proposait Boris ? Effectuer du travail communautaire comme le suggérait Maître Serbulon ? C'est-à-dire, empaqueter des ananas ou des bananes, ranger des bouteilles de rhum ou de shrub dans des coffrets-colis-pays ? Toutes ces idées étaient ridicules.

Il s'aperçut qu'une résolution s'était formée en lui. Elle était née, avait maturé tout au long de cette interminable errance, peut-être même bien avant, au cours de ses mois à Basse-Pointe, peut-être même bien avant, la nuit même du crime, quand, dans le silence, il avait regardé le sang rougir les draps du lit avant de goutter à terre. Que de sang dans ce corps de femme ! Paralysé, il restait là, ne pouvant admettre qu'elle n'était plus, que sa voix enrouée ne lui donnerait plus d'ordres, qu'il ne se presserait plus contre elle. Et voilà que cette résolution pointait à nouveau la tête, noyau dur fiché au mitan de sa conscience. Il se leva, fiévreux et calme à la fois. Il commença par allumer les feux du navire, surpris de les voir briller dociles après tout ce temps, rouge à bâbord, vert à tribord, blanc en poupe. Seul le feu de mât refusa d'obéir. De même la girouette ne tournait plus. Tant pis ! Il alla vérifier le réservoir, y vida un fond de gazole qui traînait dans un jerrican. Pour les manœuvres délicates comme la sortie de la marina, Vincent Cohen, skipper prudent, se servait toujours du moteur. Dieudonné décida d'en faire autant. Pendant qu'il s'affairait, on aurait cru que *La Belle Créole* comprenait ses intentions. Elle tressaillait, vibrait de la coque au gréement, de l'étrave au safran, piaffait, humait l'air. Dieudonné alluma le moteur qui, après quelques quintes, se mit à ronronner. Doucement, il détacha *La Belle Créole* du quai, la sentit frémir, la flatta comme un cheval dont on entend ménager la fougue. À droite et à gauche du monocoque glissant à la surface de la mer, les villas pieds dans l'eau de la Mégisserie défilaient, lumières éteintes, semblables à des versions tropicales des palais de Venise. Au fond de la baie, Port-Mahault étageait en désordre ses maisons et ses frondaisons d'encre. À gauche, on distinguait le quai bordé d'amandiers-pays et quelques cargos tristes.

Autrefois, à bord de *La Belle Créole*, Vincent Cohen le traitait comme un grand et le laissait prendre un quart. Même de nuit. Seul le vent chuintait dans la grand-voile et le génois. Le monde semblait à l'arrêt. À l'exception de Marine qui avait peur de la mer et ne s'approchait jamais de *La Belle Créole*, tout son bien était sous ses pieds. Aline Cohen et les enfants dormaient dans les chambres avant et arrière. Alors, conscient de sa charge, il s'efforçait d'être vigilant, de ne pas rêver la tête dans les étoiles. Après avoir somnolé à son tour dans le carré, Vincent venait le rejoindre avec une chope de café et il restait côte à côte de longs moments sans parler.

Quand il atteignit les bouées vertes, il coupa le moteur et prépara l'appareillage. Puis, il dirigea l'étrave face au vent, se démena comme un beau diable avec la grand-voile, le génois, car les enrouleurs ne marchaient plus, le chariot était coincé. Il parvint à hisser comme il pouvait en s'écorchant les mains sur les drisses. Pourtant, loin de l'angoisser, ces gestes oubliés et retrouvés d'instinct lui rendaient son enfance, rameutaient l'excitation des jours perdus, rallumaient sa vigueur d'antan.

Brusquement, tout fut comme avant. Les voiles finirent par se déployer. Le ciel se découvrit, les nuages vidés de pluie s'ourlèrent de clair, le quartier de lune sortit de sa cachette pour s'exhiber sans pudeur, la brume enroulée à l'horizon se dissipa tandis que, autour de lui, l'espace entonnait cette chanson qui ne peut s'oublier, une fois entendue.

Quand on atteignit la pleine mer, le bateau se mit à gîter.

20

Où pouvait bien être Dieudonné s'il n'était pas chez sa grand-mère Arbella ? Où s'était-il rendu en courant ? Les miliciens affirmaient qu'il avait pris la direction de la ville. À la ville, il n'avait pas d'amis. Il n'y connaissait guère que sa tante et marraine Fanniéta qui ne l'avait jamais chéri. Alors, où pouvait-il être ?

Boris décida d'accorder une trêve à son angoisse, le temps d'une réunion, et finit par se rendre à la cité Fleurie. Toutes les fenêtres étaient illuminées et les locataires s'interpellaient de balcon à balcon. Comme ils se chargeaient eux-mêmes de leur sécurité, un groupe d'hommes en survêtements de sport, tenant des chiens en laisse et comiquement armés de gourdins, de coutelas, déambulaient dans le parking.

La cité Fleurie, dix bâtiments identiques de quatre étages portant chacun un nom de fleur, toujours les mêmes, Bougainvillée, Hibiscus, Alpinia, Musenda, Alamanda, Poinsettia... était l'une des premières H.L.M. de Port-Mahault, bâtie peu après la guerre par un gouverneur philanthrope, atterré par les conditions de l'habitat. Il faut rappeler que Port-Mahault n'était en ce temps-là qu'un pitoyable ramassis de cases. Jusqu'aux années cinquante, dans leur grande majorité, les habitants du pays, même fortunés, n'avaient jamais goûté aux délices de l'eau courante, du tout-à-l'égout et de l'électricité. Surtout, ils ignoraient l'intimité que procurent les water-closets, ces lieux où chacun peut s'enfermer avec un livre aux moments où la nature l'exige. Voilà pourquoi la cité Fleurie avait d'abord été assiégée par des individus aux bras longs, du dernier bien avec les membres du service municipal chargé d'attribuer les logements. Au fil des années, évidemment, cette situation de prestige s'était érodée. Les murs jamais repeints se couvraient de graffitis, les vide-ordures débordaient, se bouchaient, les ascenseurs ne bougeaient pas du rez-de-chaussée. Ceux qui avaient suffisamment de moyens avaient abandonné l'endroit pour se construitre des résidences à la campagne. Pourtant, une douzaine de locataires, tel Roméo Serrutin qui, avec tout l'argent que se faisait sa femme, une Toulousaine, médecin gynécologue, aurait pu porter ses pénates ailleurs, étaient tenus, opinions politiques obligent, d'afficher leur mépris de la réussite, matérielle et de rester dans ces appartements inconfortables.

Boris fut à peine entré dans le living-room qu'il respira la mauvaise odeur de la catastrophe. Non seulement, Benjy brillait par son absence mais, à minuit passé, trois bouteilles de rhum agricole à moitié vides étaient posées sur la table. Les membres du P.P.R.P. buvaient sec en mâchonnant leurs mégots d'un air qui ne laissait rien présager de bon. Il se mit en demeure de s'excuser pour son retard. Pourtant, il s'aperçut que personne ne lui prêtait la moindre attention, que personne ne l'entendait. Roméo Serrutin leva vers lui une figure creusée des rides et des creux de l'anxiété :

— Tu ne connais pas la nouvelle?

— ...

— Benjy vient de téléphoner. Il ne viendra pas. Ils l'ont démissionné! Il est remplacé par José Merlot!

Au fond de lui-même, Boris savait que pareille catastrophe allait se produire d'un jour à l'autre. Depuis de longs mois, Benjy avait le plus grand mal à mobiliser ses troupes. La cause de cette triste situation était qu'il devenait évident pour tous qu'il ne croyait plus à ce qu'il préconisait. D'ailleurs, que préconisait-il exactement? De sa part, ce n'étaient plus que volte-face. À la dernière minute, il avait envisagé la séquestration du patron d'Auto-Caraïbe après l'injuste licenciement de deux ouvriers. Puis il avait hésité et était revenu sur sa décision. Résultat, ce patron avait eu le temps de sauter dans le premier avion en partance pour Paris. Un baroudeur de première, mateur de grèves, avait atterri pour le remplacer. Furieux, il se leva d'un bond :

— Nous ne nous laisserons pas faire. Ce n'est pas légal !

— Comment, ce n'est pas légal? reprit Roméo d'une voix lasse. C'est au contraire tout ce qu'il y a de plus légal. Ils ont convoqué une réunion extraordinaire. Tous les membres du Comité Directeur étaient présents. Le quorum a été atteint.

Boris se rassit :

— Enfin, vous n'allez pas rester là, les bras croisés ?

Les autres le toisèrent, car personne n'appréciait cet ex-S.D.F., poète et donneur de leçons. Évariste Philomène, trésorier du P.P.R.P., l'interrogea d'un ton moqueur :

— Qu'est-ce que tu suggères ?

Boris avait le cerveau fertile. Depuis l'école, il n'était jamais à court d'idées. Quand il ne savait pas un traître mot de sa leçon, il était capable d'inventer, d'éblouir la classe et de tromper la maîtresse avec brio. En un rien de temps, il accoucha d'une proposition. À coup de force, il fallait répondre par coup de force. Dans quelques heures, ce serait le moment de son éditorial à Solèye Lévé. Il suffisait donc de se rendre à cette radio en même temps qu'à celle du P.P.R.P. et, parlant d'une voix unanime, d'informer les habitants de Port-Mahault des agissements d'une poignée de lâches. Benjy était aimé de tous. Nul doute que le pays exigerait son retour à la tête de la centrale syndicale. L'accueil fait à ces paroles fut tiède. À la différence de Solèye Lévé, la radio du P.P.R.P, Radio Van Doubout, n'était plus que le fantôme de ce qu'elle avait été dans les années soixante, aux grandes heures de la bataille pour lendépendans alors que des milliers d'auditeurs gardaient l'oreille collée à ses programmes. Elle n'avait plus aucune audience. Trois fois par jour, un speaker peu inspiré se bornait à ânonner un bulletin d'informations en kréyol. Les membres du P.P.R.P se regardèrent sans enthousiasme et l'un d'entre eux fit mollement :

— Il faut se mettre d'accord sur un texte.

— Allons donc! répliqua Boris, superbe. On improvisera.

On improvisera? On n'improvise pas en politique! Finalement, Roméo Serrutin se leva, aussitôt imité par ses troupes.

— On y va !

La petite troupe descendit l'escalier, s'égailla vers les voitures à l'arrêt. Au moment de prendre place à nouveau dans sa Toyota, Boris eut une illumination. *La Belle Créole* ! Quel aveugle il faisait de ne l'avoir pas compris plus tôt. Dieudonné, abandonné de tous, avait trouvé refuge à *La Belle Créole*. Il est des moments essentiels dans la vie d'un individu ou d'une collectivité, des décisions majeures qu'il ne faut pas manquer de prendre. Nous pouvons, quant à nous, épiloguer à l'infini. Si Boris s'était d'abord préoccupé de l'intérêt général ? S'il s'était rendu directement à Radio Solèye Lévé, que se serait-il passé ? S'il avait pu prononcer sur-le-champ un vigoureux éditorial et haranguer les hommes du pays, mollement couchés dans leurs kabanns, à côté de leurs femmes ou mieux d'une de leurs maîtresses, leur intimer de ne pas se laisser manipuler ? Peut-être effectivement, malgré l'heure matinale, le désir d'un bol de café bouillant et d'une douche froide, ceux-ci auraient-ils marché à travers les rues et les avenues de Port-Mahault, en scandant : « Benjy ! Benjy ! Ban nou Benjy ! Lagé Benjy ! » Peut-être cela aurait-il été le prétexte à une émeute que les C.R.S., coiffés de casques, armés de boucliers, auraient réprimée dans le sang ? Peut-être José Merlot aurait-il pris peur et réinstallé Benjy dans ses fonctions ? On murmurait que c'était un homme sans graines, toujours de l'avis du dernier qui avait parlé. Mais au lieu de courir à Radio Solèye Lévé, Boris, n'ayant que le souci de Dieudonné en tête, se précipita comme un fou vers la marina de la Mégisserie.

Une marina, c'est un peu comme la bouche d'une belle. Si la gencive est désertée, si des incisives, des canines ou des molaires manquent, déchaussées, avariées, arrachées, cette absence ne passe pas inaperçue et l'onde qui bouche le trou fait office de pierre tombale. Dans cette caverne édentée qu'était devenue la marina de la Mégisserie, Boris ne s'aperçut pas aussitôt de l'absence de *La Belle Créole*. Il passa et repassa sur le quai numéro 2. Puis il dut se rendre à l'évidence. Le monocoque avait disparu. Il était amarré là. Là : à côté d'un catamaran de location que plus personne ne louait. Il s'était fait les voiles. Où s'en était-il allé ? Dieudonné était-il fou de prendre la mer sur un rafiot qui n'avait pas navigué depuis tant d'années ? Que cherchait-il ? La mort ? Oui, c'est cela même qu'il cherchait. La mort. Son seul ami l'avait abandonné. Il croyait que rien de rien ne le retenait plus sur la terre. La mort. Comme un fou, Boris courut à nouveau jusqu'au bout du quai, scrutant les creux et les bosses de l'infinie surface. Peut-être pourrait-il surprendre le fuyard ? Alors, comment le ramener à terre ? Hélas ! Ses yeux ne virent rien.

Le devant-jour s'avançait, on ne pouvait plus

en douter. Pour la nature, le temps du deuil avait assez duré. Elle voulait à présent se vêtir de bleu, de vert, de mauve, des couleurs de carnaval du jour tropical. Relégué à un bout du ciel, le quartier de lune sans force se préparait à basculer de l'autre côté de la terre et à céder la place au soleil. Pourtant, Boris ne perçut pas ces prémices. La nuit et la douleur étaient en lui. Mille pensées se bousculaient dans son esprit. Où trouver des gardes-côtes ? Ce genre de secours existe-t-il dans le pays ? Si oui, comment les alerter ? Comment partir à la recherche de Dieudonné ? Il se sentit tout à la fois coupable, impuissant, vaincu.

21

Les faits qui suivent appartiennent à l'histoire. L'histoire écrite, car il y a belle lurette que notre histoire n'est plus orale. Ceux qui rabâchent le contraire se gargarisent avec des mots. Deux historiens, deux universitaires de grand talent ont rédigé un ouvrage intitulé *Mars 99* pour relater ce qu'ils nomment avec emphase une « révolution » avortée.

Arrêtons-nous un instant sur ce mot : révolution ! Il est beau. Il est redoutable. Il inspire la terreur. S'il s'était agi d'une dictature comme il en existe en Haïti, île toute proche des Caraïbes, ou dans les pays d'Afrique, un fauteur de grèves acharné comme Benjy, un intarissable bavard à prétentions marxistes comme Boris auraient été sûrement abattus comme des chiens. Un soir, on aurait retrouvé leurs corps sans vie sur une plage déserte et le lendemain, à l'aube, leurs parents, leurs camarades auraient pris le chemin de l'exil. Dans un pays comme celui dont il est question ici, existent un certain respect de la vie humaine, une certaine conception de la liberté d'expression, la sacro-sainte démocratie, quoi! Aussi, ceux qui ne partageaient pas les opinions des deux lascars se bornèrent à les écarter, sans toucher à un cheveu de leur tête. Peut-être aussi n'apparaissaient-ils pas comme suffisamment dangereux. Puisque, objecterez-vous avec raison, même en démocratie les assassinats politiques existent. Qui nous départagera? Toujours est-il que les choses se passèrent ainsi que nous le rapportons. Aucune effusion de sang. Aucun emprisonnement arbitraire. Aucune condamnation à l'exil. Et nos deux historiens nationalistes eurent bien du mal à imposer leur point de vue.

Malgré son beau nom, Radio Solèye Lévé ne payait pas de mine. Elle était située au septième étage d'un immeuble d'habitation fort minable, une de ces tours bâties à la va-vite aux premières années de l'exode vers les villes. Elle se cachait dans un trois-pièces, loué par le P.T.C.R. Quand, quelques heures plus tard, Boris, la tête à l'envers, entra enfin dans le hall, se dirigeant vers la cage de l'ascenseur qui, par miracle, fonctionnait, il eut la surprise de se heurter à des policiers municipaux en casquette plate, la main droite posée de façon menaçante sur la hanche.

— Papiers d'identité, aboyèrent-ils d'une seule voix.

Boris, qui se piquait d'être connu comme la Bête à Man Hibè du nord au sud du pays, avait la vanité de ne jamais porter sur lui des objets aussi triviaux. Il ignora donc l'injonction et fit mine de passer son chemin. Alors les sbires se saisirent brutalement de lui, lui passèrent les menottes et le poussèrent vers leur car à l'arrêt près d'une haie de crotons pelée, qui démarra sur des chapeaux de roue en direction du commissariat central. Le scénario avait été bien réglé. Pendant ce temps, de sa voix d'hermaphrodite, José Merlot lisait une harangue à l'antenne. Hélas! Nous ne possédons pas le texte de ce discours. Mais nous savons qu'il indiqua la composition du nouveau bureau du P.T.C.R. et annonça pour le matin même, la reprise du travail dans la majorité des services touchés par la grève. Il assurait que, d'ici quelques jours, la vie reprendrait son cours normal.

Il est certain que les gens furent surpris de cette volte-face. Hier, on jurait d'en finir avec le patronat. Aujourd'hui, on pactisait avec lui. Mais il était à peine quatre heures du matin. Il faisait encore nuit aux fenêtres. Les femmes ne s'étaient pas encore levées pour faire couler le café. Les enfants dormaient. Des coups de téléphone confus s'échangèrent entre les hommes :

— Ka ka passé?

— An pa konnèt!

Certains eurent le courage d'enfiler leurs vêtements et s'attroupèrent à l'angle des rues, allumant leur première cigarette pour dissiper avec la nicotine les vapeurs du sommeil. Leurs yeux embrumés s'étonnèrent : étaient-ce des mamblots, des cars de police qui filaient le long des rues? Aussi, ils se doutèrent de la nature des actions qui allaient suivre. Dans le fond des cœurs, la soudaine énergie des pouvoirs publics ne déplut pas à tout le monde. Car, en majorité, les gens étaient las. Las de l'état du pays, de toutes ces grèves, ces séquestrations de patrons, ce chaos dont on ne voyait pas clairement l'issue. Cependant, ils auraient pu se borner à une molle approbation intérieure si un élément, qui semble infime, n'était pas venu retourner les esprits de ceux qui hésitaient encore. Vers cinq heures, les bennes de la voirie que personne n'avait vues depuis des mois et des mois sortirent de leurs hangars et mastodontes oubliés, dévalèrent victorieusement les artères de Port-Mahault. Quand une équipe de travailleurs, masqués de blanc pour se protéger des microbes, commença à s'attaquer aux monticules d'ordures encombrant les trottoirs, les dalots et les rues, ce furent des hurlements d'allégresse qui virèrent vite à l'ovation. C'est que les habitants de ce pays, plus que la misère à laquelle on peut remédier à coups d'allocations gouvernementales, plus que la maladie qu'on peut soigner en obtenant un rapatriement sanitaire vers les Hôpitaux de Paris, plus que la mort même qui enfin réunit blancs et noirs, fini le racisme, redoutent la saleté. La saleté charroie avec elle le souvenir de la promiscuité des vaisseaux négriers, des plantations, des cases nègres. La saleté, c'est le marqueur de l'infériorité. Voilà pourquoi certains purent affirmer que la démission de Benjy avait suscité la liesse populaire. C'est ce qu'écrivirent les journaux, non seulement ceux ouvertement liés au patronat mais aussi d'autres, plus modérés, qui se voulaient objectifs, qui avaient toujours critiqué le désordre social et soutenu que Benjy n'avait aucun plan d'ensemble. Ce qu'il faut noter, c'est que, parmi les intellectuels qui l'avaient porté aux nues, personne ne prit la défense de Benjy. On ne peut citer aucune émission radiophonique, aucune lettre ouverte, aucun meeting pour le défendre. Bien au contraire. Dans *Mai 99*, l'ouvrage que nous avons mentionné, figure une critique à peine voilée. En prologue, il est rappelé que, si la révolution cubaine a réussi, c'est que Fidel et ses barbudos ont su s'attirer l'adhésion du peuple. Car, le peuple, rien ne se peut sans lui ! Comprenne qui pourra !

Pendant ce temps, Boris se morfondait au commissariat central. Sur sa demande, les policiers avaient accepté de téléphoner chez lui. Or, à sa grande surprise, personne ne s'y trouvait. Où était l'Ange Carla ? Pas de doute, si elle n'était pas à la maison, elle ne pouvait être qu'à l'hôpital. Les douleurs l'avaient prise. Aussi, l'inquiétude que Boris éprouvait pour Dieudonné se doubla d'une angoisse nouvelle. Il savait combien Carla redoutait son accouchement. Le prétexte avoué était qu'elle n'était plus très jeune, d'âge à être grand-mère, riait-elle, ses filles ayant maintenant dix-huit ans. Boris, un temps dupe, comprenait à présent qu'il s'agissait de tout autre chose. On ne change aisément ni de pays ni de langue. Seuls les naïfs le croient et la solitude de sa femme qu'il avait découverte avec des mois de retard le bouleversait. Comment avait-elle vécu tout ce temps, à ses côtés, sans qu'il se doute de rien ? Quelle espèce d'homme était-il ? À la fois un mauvais ami qui lâchait les siens et un mauvais mari qui désertait son poste. Il se piquait de travailler au bien-être d'une collectivité abstraite alors que les êtres de chair et de sang qu'il prétendait chérir s'étiolaient et souffraient à côté de lui. Il n'aurait de cesse de réparer ses faiblesses et ses erreurs de comportement. Comme, désormais, il prendrait soin de Carla ! Comme il ouaterait sa vie ! Pourtant, dans le cas de Dieudonné, pourrait-il encore réparer ? Un terrible pressentiment remplissait son cœur.

Dans la cellule contiguë à la sienne étaient enfermés deux travestis qui, dans un bar, s'étaient battus au couteau et qui, pour l'heure, la gorge remplie de vapeurs éthyliques, ronflaient côte à côte comme des frères. On l'avait mis avec un vieil instituteur qu'on arrêtait presque quotidiennement, car, maboule depuis la mort de sa femme, il pissait du haut de son balcon sur les fillettes qui passaient dans la rue. Ce dernier, qui l'avait parfaitement reconnu, lui tenait des propos navrants :

— Tu es un idéaliste. Tu veux changer ce pays. Tu n'es pas le premier. Regarde bien, la liste est longue depuis Aurélien Aurélianus dont la mère avait été esclave et que les blancs ont condamné à la détention perpétuelle parce qu'il avait mené l'insurrection du Sud. Mais pas plus que lui, pas plus que les autres, tu n'y arriveras. Aussi, tu crois que l'on t'aime parce que, par-devant, on te fait des risettes. Moi, je te dis que l'on te hait. Tes livres, ta poésie, surtout celle en français, derrière ton dos, on fait des jeux avec. Ta pose, tes idées déplaisent. Ta femme est une Italienne à ce que j'ai entendu ? Si j'ai un bon conseil à te donner, c'est de foutre le camp avec elle. Rome, Milan, Venise ! Voilà les endroits où il te faut vivre. Pas dans ce trou où on ne chérit que les concours de bœufs tirants, de cabris tirants.

Pour ne plus entendre cette voix de crécelle qui vrillait des vérités qui ne sont pas bonnes à dire, Boris s'allongea sur la banquette et essaya de prendre sommeil. Mais quand il fermait les yeux, c'était pour être la proie d'une série de rêves, de cauchemars qui tournaient tous autour de Dieudonné et de Carla. Tantôt, il les voyait perdus au milieu de l'océan, pareils à des boat-people. L'un à côté de l'autre, ils étaient accroupis, à demi nus sur le filet d'un catamaran qui dérivait. Leurs lèvres étaient noires. Leurs figures ressemblaient à du parchemin. Leurs corps étaient décharnés. Ils tentaient vainement d'échapper au regard meurtrier du soleil. Tantôt, l'océan se changeait en désert. À l'infini, des dunes de sable blond d'une trompeuse douceur moutonnaient. Là encore, le soleil était un geôlier sans pitié. Ils suffoquaient de soif. Puis, l'océan se changeait à son tour en forêt, aussi dense, impénétrable, inhospitalière que celle qui couvre les pentes de la mal nommée montagne Chauve. Dans la touffeur, chaque arbre distillait un poison, chaque branche cachait un piège. Ainsi, il voyait ceux qu'il aimait, tantôt brûlés, carbonisés, tantôt pendus tête en bas à la cime des pié-bwa comme les marrons suppliciés du temps-longtemps.

Celui que le devant-jour n'a pas surpris sur la mer ne peut imaginer l'émerveillement qui saisit les yeux. C'est une symphonie en blanc. On dirait que des balles de coton étincelant brusquement répandues sur l'océan s'amoncellent et moutonnent jusqu'à l'horizon. Le ciel est pareil à une immense jatte de lait où les nuages se pressant comme autant de brebis viennent s'abreuver. Une lumière livide filtre de tous les coins de l'infini à la fois.

Dieudonné, qui avait tant de fois bourlingué, ne s'était jamais habitué à ce spectacle. Autrefois, pour qu'il en jouisse avec lui, Vincent Cohen venait le chercher dans la chambre arrière où il dormait avec les autres garçons. Il le suivait jusqu'à la proue du navire, frissonnant car, à cette heure, le vent souffle, glacé. Comme dans le passé, il s'accroupit longuement contre le balcon, et resta là à s'emplir les yeux. La merveille ne dure pas longtemps et sa brièveté ajoutait encore à sa féerie, car on pouvait douter de ce qu'on avait cru voir. On pouvait se demander si on n'avait pas assisté à un mirage, tel celui que fait naître le sable dans le désert.

Quand le disque du soleil devint banalement rouge et commença son ascension ordinaire, Dieudonné revint prendre la barre. Où était-il ? À bord, aucun instrument de navigation ne fonctionnait. Au fond d'un tiroir, il avait tout

294

juste déniché une carte marine, mais il ne s'était pas occupé de faire le point. D'après les vols de pélicans et de cormorans qui signifiaient qu'une terre n'était pas loin, il imagina qu'il devait se trouver au large des deux îlets de San Diego. Quelques heures plus tôt, la radio avait grésillé des informations auxquelles il n'avait pas compris grand-chose. Le baromètre étant bloqué, il ne savait pas le temps qui se préparait. Onde tropicale ? Dépression ? Ou fier et durable beau temps ? Mais cette vulnérabilité, au milieu de la démesure de l'océan fantasque, lui convenait. Il suffirait que le vent se lève, que soudain cette paisible surface gonfle, se hérisse de creux et de lames déferlantes, pour qu'il soit emporté vers le pays d'où on ne revient jamais. N'est-ce pas ce qu'il voulait ? Ce qu'il désirait de toutes ses forces ? Il n'avait rien à faire sur une terre où elle n'était plus. Quels souvenirs garderait-il d'elle pour illuminer son restant d'existence ? Ils n'avaient pas vécu une seule grande nuit de passion. Ils n'avaient pas échangé de mots tendres. Elle ne lui avait jamais dit : « Je t'aime. » Il ne pouvait garder la trace d'une conversation intime et précieuse. Elle était morte figée dans la violence, peut-être dans la haine. Alors, il allait rejoindre celle qui ne l'avait jamais rudoyé ni méprisé, celle qui ne s'était jamais trompée sur son compte. Elle le prendrait contre elle et il suffoquerait dans ses bras. Peut-être, dans l'inconnu qui l'attendait, retrouverait-il Marine. Arbella et Fanniéta l'avaient dégoûté des bondieuseries, elles qui se confessaient, communiaient, mais dont les cœurs étaient fermés à clé. Elles qui ne lui avaient jamais appris ce qu'amour veut dire. Pourtant, il existait peut-être, par-delà ce monde que nos yeux voient, une place invisible de paix et de bonheur où ceux qui se sont beaucoup aimés et ne cessent de se regretter passent ensemble leur éternité. Allez savoir !

Il n'avait emporté aucun vivre. La faim, la soif, tout ce bleu au fond des yeux auraient vite raison de lui.

Épilogue

À force de se torturer, Boris finit par prendre sommeil, un sommeil léger, fiévreux, entrecoupé de périodes de veille au cours desquelles il gémissait comme un petit enfant. Il entendit le départ des travestis qui, malgré les menaces des policiers, s'injuriaient, se promettaient de se retrouver dans leur bar et de se donner la mort. Le vieil instituteur somnolait lui aussi en marmonnant des mots incompréhensibles. Enfin, vers midi, un policier tourna la clé dans la serrure et la silhouette massive de Benjy barra le jour de la cellule. Il entra, s'assit sur la banquette à côté de Boris et lui tendit sans mot dire un paquet de cigarettes. Pendant un moment, les deux hommes fumèrent en silence, malgré les protestations du vieil instituteur qui, réveillé, les traitait de tous les noms. Benjy ne semblait pas triste de ce qui pouvait passer pour une déchéance. Au contraire, il avait l'air dispos, soulagé. Plus dispos et soulagé qu'il ne l'avait été depuis longtemps, avec une sorte de lumière éclatante au fond des yeux :

— Peut-être à présent, allons-nous commencer à vivre ? suggéra-t-il.

— Qu'est-ce que tu entends par là ? demanda Boris faiblement.

Il haussa les épaules :

— Je ne sais pas, moi. Baiser nos femmes, emmener nos gamins à la piscine, faire des gueuletons avec nos amis.

Boris interrogea tristement :

— C'est ça que tu appelles vivre ?

L'autre le regarda :

— C'est quoi alors ?

Il s'adressait à lui comme à l'ancien maître, attendant une définition, une leçon, une de ces comparaisons lumineuses dont Boris avait le secret. Alors qu'à présent le maître doutait de tout, sans certitudes, déboussolé.

— Franchement, soupira Boris, maintenant, je ne sais plus.

Benjy se leva :

— Tirons-nous d'ici ! Ce qu'il nous faut, c'est un bon coup de rhum !

En s'en allant, ils saluèrent poliment le vieil instituteur qui ne prit pas la peine de leur répondre et continua de vociférer. Dans la grande salle du poste, les policiers remirent à Boris ses effets qu'ils avaient confisqués : un paquet de cigarettes à moitié vide, un portemonnaie contenant deux billets de 50 F chiffonnés, quelques mouchoirs Lotus, une pointe bic Intensity, des feuillets blancs pliés en quatre sur lesquels il avait commencé de griffonner son allocution pour Radio Solèye Lévé. Puis, ils saluèrent les deux hommes avec un reste de respect. Est-ce qu'un temps ils n'avaient pas symbolisé le changement dont le pays avait tellement besoin?

Une fois dehors, Boris eut un vertige et manqua tomber. Le grand jour? Le manque de sommeil? L'angoisse? Sans mot dire, Benjy lui prit le bras comme à un invalide et ils continuèrent leur route tandis que Boris s'appuyait lourdement sur lui. On aurait cru qu'entre eux les rôles s'étaient soudain inversés. Depuis l'enfance, des deux, c'était lui Boris, le meneur, celui dont la tête fertile foisonnait d'idées. Pas un coup, bon ou mauvais, dont il n'ait eu le premier la pensée! Or voilà qu'il se trouvait sans forces, vidé, à la remorque. Il s'accrochait à Benjy comme un nageur en perdition s'accroche à une bouée et tout tourbillonnait dans sa tête : Carla à l'hôpital, Dieudonné à bord de *La Belle Créole*, le P.T.C.R. en perdition.

Port-Mahault renaissait. En quelques heures, les services de voirie avaient accompli des miracles. Le boulevard des Canettes brillait comme sou neuf. Non seulement, les tas d'immondices, qui si lontemps avaient offensé le

regard, avaient disparu, mais les arroseuses muni-
cipales avaient déversé des litres et des litres d'eau
là où il fallait, des nuées d'employés de la voirie
manié la brosse de chiendent et le désinfectant.
Aussi, les trottoirs, les pavés reluisaient de pro-
preté. Cependant, parallèlement à cette métamorphose, un spectacle ne tarda pas à imprimer
son horreur. En masse, les chiens étaient chassés
de la place des Écarts ainsi que de tous les coins
et recoins qu'ils avaient jusque-là occupés impunément : terrains vagues, corridors, maisons
abandonnées. Des équipes d'exterminateurs,
pareils à des jab dans leurs combinaisons rouges
et masqués de blanc, les poursuivaient, les saisis-
saient au lasso, leur fourraient la tête dans des
sacs de plastique chloroformés et les entraî-
naient, gigotant encore, vers le nouvel incinéra-
teur à ordures situé sur le morne Bouchot. Une
fumée d'encre s'abattit sur la ville tandis que la
puanteur de ces chairs calcinées devenait vite
insoutenable. Du coup, les esprits les plus endurcis se mirent à regretter la cavalcade de ces bêtes
qui leur avaient causé pourtant tellement de
répulsion.

Benjy entraîna Boris vers la petite rue du
Docteur-Lévy :

— Autrefois, il y avait un bar dans cette
rue-là, affirma-t-il. Après le travail, j'y allais avec
José Merlot !

Il ne se trompait pas. Le bar était coincé entre

une bijouterie, gardée comme le Fort Knox, et un magasin de Libanais, fouillis de toutes qualités de tissus. Ce qui fait qu'on pouvait passer et repasser devant sa façade sans le voir. Il s'appelait sans originalité Le Rendez-Vous des Amis. C'était une pièce étroite, tout en longueur, sans fenêtre, déjà remplie de boit-sans-soif, se saoulant dans la pénombre complice. Puisque l'électricité avait réapparu, la chaîne hi-fi et la télévision se faisaient concurrence, l'une offrant à tue-tête de la musique de zouk, l'autre un film brésilien, où des acteurs chevelus parlaient à tue-tête eux aussi d'amour, de baisers, de caresses. Reconnaissant Benjy et Boris, la clientèle leur accorda ce regard qu'on réserve aux étoiles qui ne sont plus des stars, aux sportifs atteints de mononucléose, aux politiciens que toute leur fraude électorale n'a pu garder au pouvoir. Néanmoins, à l'exception du patron, par discrétion, personne ne s'approcha d'eux. Le patron leur apporta une bouteille de Feneteau les Grappes Blanches avec un commentaire, sobre, mais qui voulait exprimer sa sympathie :

— C'est le meilleur que j'ai.

Les deux compères remercièrent d'un signe de tête, puis emplirent leurs verres sans vergogne de cinq doigts de rhum. Contrairement à ce qu'il espérait, la brûlure de son gosier à son estomac réveilla la douleur de Boris. Ses yeux s'emplirent d'eau salée :

— Je suis à l'agonie, murmura-t-il. Dieu-donné a disparu !

Benjy, visiblement de plus en plus en forme, remplit à nouveau son verre et le vida d'un trait. Un court instant, il suffoqua puis, reprenant ses esprits, interrogea :

— Comment ça, disparu ?

En quelques phrases, d'une voix haletante, Boris lui expliqua le drame qu'il prévoyait. *La Belle Créole* n'était plus à quai, cela signifiait que Dieudonné s'en était allé Dieu seul sait où. Sur un rafiot pareil, il y avait peu de chances de le retrouver vivant. Benjy se leva précipitamment :

— Alors, il faut alerter en vitesse le secours en mer, la brigade nautique et la surveillance côtière de la gendarmerie.

— Si quelque chose lui arrive, je ne me le pardonnerai pas, fit Boris qui, la tête dans les mains, restait affalé sur la table. Je me sentirai toujours coupable.

— Nous serons tous coupables, répliqua Benjy le mettant de force debout sur ses pieds. Toi, moi, sa grand-mère, sa marraine, le pays.

Ils se dirigèrent vers la sortie, suivis par les regards apitoyés de l'assistance. Toujours sobre, le patron leur sourit et fit simplement observer :

— Déjà ?

Benjy acquiesça distraitement. Soudain, au moment où il mettait pied sur le trottoir, il s'exclama :

— J'allais oublier !... Inis m'a chargé de te dire que, cette nuit, elle a emmené Carla à l'hôpital. Ce matin à neuf heures vingt-sept, ton fils est né. Il pèse deux kilos huit cents. Les mairies ont repris le travail à temps pour que tu ailles le déclarer, ajouta-t-il.

— Deux kilos huit cents, répéta Boris. Il n'est pas gros !

Là-dessus, confondant dans une même pensée Dieudonné vraisemblablement perdu en mer, ce nouveau-né chétif, tout ce qu'il avait pu engendrer, Carla dont il n'avait pas partagé la souffrance, il fondit en larmes comme un enfant.

Vers midi, le catamaran *Fleur des Tropiques* appartenant aux frères Marissol, ayant à son bord trois cents passagers en provenance de la Martinique, aperçut une épave, empalée sur le rocher dit de la Baleine au large des îlets de San Diego. Depuis Fort-de-France, cela faisait sept heures de temps qu'on naviguait. Aussi, une profonde torpeur s'était abattue sur le bateau. En un clin d'œil, tout changea. Ceux qui somnolaient se réveillèrent et ce fut une cohue en direction du pont supérieur ; les affaiblis, les malades retrouvant leurs jambes ; les plus chanceux s'armant de jumelles ; les plus courts de taille maudissant les plus hauts qui leur barraient la vue. Une seule question courait sur toutes les lèvres. Comment pouvait-on s'échouer sur ce rocher? On n'était pas au mois de septembre, l'accoucheur de cyclones, mais en fin de carême. Depuis des jours, voire des semaines, les bulletins de météo se succédaient : océan peu agité, sans traîtrise ; alizés modérés ; averses brèves et peu significatives. C'est un fait, à marée haute, les eaux recouvraient le rocher qui devenait invisible. Mais, à l'entour, les balises de danger ne manquaient pas. Et puis, même sans cela, tous ceux qui avaient navigué dans la région connaissaient cette mauvaise dent fichée dans la gencive de la mer et l'évitaient soigneusement. À moins qu'il ne s'agisse d'un skipper particulièrement ignorant et novice, comment pareil accident pouvait-il se produire ?

Un esprit chagrin osa : ne s'agirait-il pas plutôt d'un naufrage volontaire ? De l'acte de quelque désespéré ? Impensable, lui répondit-on avec ensemble. Qui serait assez fou pour cela ? L'autre insista : pas un natif-natal, ce n'est pas dans nos mœurs, on le sait. Un Européen, un étranger ! Ces gens-là ne sont pas comme nous, ils se suicident pour un oui pour un non ! Un chagrin d'amour, un échec à l'examen, une querelle de ménage. Il paraît même que la France détient le triste record des suicides d'adolescents. Mais ce peuple est querelleur. Aussitôt quelqu'un contredit celui qui venait de parler et rappela, outré, que le suicide n'était pas l'apanage des blancs. Au temps de leur servitude, les nègres se suicidaient en masse pour échapper à l'esclavage. On continua la route dans ces débats et ces discussions semi-historiques. Quand même, *Fleur des Tropiques* termina sa course sans encombre, rentra à quai, et là, le capitaine alerta la brigade nautique. Vers deux heures de l'après-midi, une vedette de la gendarmerie prit donc la direction du large. La mer était toujours d'huile. Pas de vent. Pas de grain en perspective.

Sans mal, les gendarmes identifièrent l'épave : c'était celle de *La Belle Créole*, un voilier à vendre qui avait sa place sur le quai numéro 2 de la marina de la Mégisserie. Nul n'ignorait qu'un temps il avait été squatté par une bande de malfaiteurs, trafiquants de drogues, aujourd'hui, Dieu merci, sous les verrous et pour longtemps, ainsi que par le tristement célèbre Dieudonné Sabrina, malheureusement remis en liberté grâce aux ruses de son avocat. Comme il n'y avait aucun risque de pollution, de dommage à l'environnement, après mûre réflexion, les gendarmes décidèrent de couler l'épave. Là, les fonds atteignaient plus de vingt mètres. Cela ferait le bonheur des poissons.

Par contre, les plongeurs emmenés plus tard en renfort eurent beau faire l'entour des heures durant, ils ne retrouvèrent aucun corps. Comme si le voilier s'était détaché du quai et était venu dans ces parages s'échouer tout seul. Comme si un fantôme avait tenu la barre.

Malgré cela, les gens de Port-Mahault comprirent bien que Dieudonné était à son bord. Ils étaient trop épris d'histoires hors du commun pour conclure à un banal accident, pour penser que *La Belle Créole*, ingouvernable après des années d'inaction, avait tout simplement joué un tour fatal. La majorité fut de l'opinion que Dieudonné s'était volontairement échoué sur la Baleine et que son corps dérivait par vingt mille lieues, enveloppé dans le linceul de la mer. À cause de cela, certains le plaignirent. Quelle mort est pire que la mort par noyade ? Pour qui trépasse ainsi, pas de cercueil, pas de veillée, pas de sépulture. Seuls les requins chagrins font la ronde autour de ses restes. Pourtant, cette manière spectaculaire et peu commune d'en finir avec la vie fit l'effet d'une pose et déplut généralement. Il y a tout de même façons moins ostentatoires de se suicider : des poudres, des gouttes, des barbituriques. On vit aussi dans cette fin de l'ingratitude. Ingratitude envers les siens qui, malgré tout, se réjouissaient de le retrouver et de finir la vie avec lui : sa grand-mère, sa marraine, deux femmes méritantes dont les journaux, toujours à l'affût de scandale, avaient dit tant de mal. Ingratitude surtout envers Maître Serbulon qui s'était donné toute cette peine pour rien. C'était comme si, en dépit de ses efforts, Dieudonné se proclamait coupable et s'infligeait le châtiment qu'il lui avait épargné.

Huit jours plus tard, la famille fit célébrer une messe à la chapelle des Saints-Innocents, proche du morne Julien. La cérémonie n'attira pas dix personnes. Si les yeux fouineurs de Fanniéta et surtout ceux d'Hélène remarquèrent la présence d'Ana, son fils entre les bras, et s'en étonnèrent — À qui cet enfant-là? —, ils ne virent pas Milo Vertueux, agenouillé au dernier rang, la tête entre les mains.

Sa femme l'avait persuadé que tout ce qui était arrivé l'était par sa faute.

DU MÊME AUTEUR

Aux Éditions du Mercure de France

MOI, TITUBA, SORCIÈRE, 1986 («Folio», *n° 1929*).

PENSION LES ALIZÉS, *théâtre*, 1988.

TRAVERSÉE DE LA MANGROVE, 1989 («Folio», *n° 2411*).

LES DERNIERS ROIS MAGES, 1992 («Folio», *n° 2742*).

LA BELLE CRÉOLE, 2001 («Folio», *n° 3837*).

HISTOIRE DE LA FEMME CANNIBALE, 2003 («Folio», *n° 4221*).

VICTOIRE, LES SAVEURS ET LES MOTS, 2006 («Folio», *n° 4731*).

LES BELLES TÉNÉBREUSES, 2008 («Folio», *n° 4981*).

Chez d'autres éditeurs

LE PROFIL D'UNE ŒUVRE, Hatier, 1978.

UNE SAISON À RIHATA, Robert Laffont, 1981.

SÉGOU :

   LES MURAILLES DE TERRE, Robert Laffont, 1984.

   LA TERRE EN MIETTES, Robert Laffont, 1985.

LA VIE SCÉLÉRATE, Seghers, 1987.

EN ATTENDANT LE BONHEUR (HEREMAKHO-NON), Seghers, 1988.

LA COLONIE DU NOUVEAU MONDE, Robert Laffont, 1993.

LA MIGRATION DES CŒURS, Robert Laffont, 1995.

PAYS MÊLÉ, Robert Laffont, 1997.

DESIRADA, Robert Laffont, 1997.

LE CŒUR À RIRE ET À PLEURER, Robert Laffont, 1999.

CÉLANIE COU-COUPÉ, Robert Laffont, 2000.

COMME DEUX FRÈRES, Lansman, 2007.

LA FAUTE À LA VIE, *théâtre*, Lansman, 2009.

Livres pour enfants

HAÏTI CHÉRIE, Bayard Presse, 1986, nouvelle éd. RÊVES AMERS, 2005.

HUGO LE TERRIBLE, Éditions Sépia, 1989.

LA PLANÈTE ORBIS, Éditions Jasor, 2001.

SAVANNAH BLUES, Je Bouquine, *n° 250*, 2004.

À LA COURBE DU JOLIBA, Grasset Jeunesse, 2006.

CHIENS FOUS DANS LA BROUSSE, Bayard Jeunesse, 2008.

COLLECTION FOLIO

Impression Maury-Imprimeur
45330 Malesherbes
le 14 septembre 2010.
Dépôt légal : septembre 2010.
1ᵉʳ dépôt légal dans la collection : mars 2003.
Numéro d'imprimeur : 158627.

ISBN 978-2-07-042250. / Imprimé en France.

Impression Bussière Camedan Imprimeries
à Saint-Amand (Cher),
le 10 novembre 2010.
Dépôt légal : novembre 2010.
1er dépôt légal dans la collection : avril 2002.
Numéro d'imprimeur : 15272.
ISBN 978-2-07-042250-0./Imprimé en France.